MÉMOIRES ET DOCUMENTS SUR ROME ET L'ITALIE MÉRIDIONALE
MEMORIE E DOCUMENTI SU ROMA E L'ITALIA MERIDIONALE

Nouvelle Série

1

Diffusion des publications:

L'ERMA di
Bretschneider
Via Cassiodoro, 19
00193 Roma

G. Macchiaroli
Via Carducci, 55
80121 Napoli

R. Habelt
Am Buchenhang 1
5300 Bonn

Les Belles Lettres
95, bd Raspail
75006 Paris

UNE NOUVELLE COLLECTION

QUAND LES FRANÇAIS DÉCOUVRAIENT L'ITALIE

Dans *Archives du Nord*, Marguerite Yourcenar consacre un beau chapitre au voyage qu'au siècle dernier avait fait en Italie Michel-Charles, son grand-père, ainsi qu'au récit qu'il en a laissé et qu'elle a retrouvé dans la bibliothèque familiale sous forme de « feuillets couverts d'une fine et pâle écriture ». Comme cela arrive souvent, l'auteur, dans une note liminaire, avait recommandé que ces pages fussent par la suite détruites. « Je lui désobéis, avoue Marguerite Yourcenar, car outre que ces textes anodins ne méritent pas tant de précautions, il se trouve que, à cent trente années de distance, . . . ces pages sont devenues un document à bien des points de vue, et pas seulement sur la manière dont on passait contrat avec les voituriers ».

Un document à bien des points de vue? Laissons de côté ici toutes les informations que peuvent fournir ces textes sur l'Italie d'hier, les paysages, les routes, les monuments, les hommes et, de fait, Marguerite Yourcenar évoque, pour son plaisir et pour le nôtre, ces ruines qui sont encore de grands vestiges drapés de plantes grimpantes, le dédale de petites rues près de Saint-Pierre qui faisait de la colonnade de Bernin une immense et harmonieuse surprise. Certes . . . Mais, les questions importantes, les voici: c'est d'abord de savoir comment s'est formé le jugement sur l'Italie de ces hommes, — et, dans une moindre mesure, de ces femmes — fortunés qui ont pu y voyager et y séjourner pendant un temps plus ou moins long; c'est, ensuite et surtout, de savoir si ce rapport que l'on cherche à discerner pour hier entre une image et une réalité peut nous servir, aujourd'hui encore, pour comprendre certaines réactions des Français devant l'Italie.

Surtout, gardons-nous de généraliser: il n'y a jamais eu une image française de l'Italie. Même à l'intérieur de la catégorie fortunée que représentent les voyageurs, nous n'aurons pas les mêmes impressions chez « l'antiquaire », comme on disait alors, chez l'artiste, l'architecte, l'homme politique ou le diplomate, l'ecclésiastique, le militaire, chez celui qu'intéressent les problèmes de l'économie, etc. De surcroît, les temps changent et, pour prendre un exemple précis, le jugement sur Naples des voyageurs du XVII° siècle n'a rien à voir avec celui qu'aura le Siècle des Lumières qui, à son tour, sera différent de celui de la génération romantique. Et il serait facile de multiplier les exemples.

Mais, s'il n'y a pas une image française de l'Italie, il y a, nous le savons tous, des images françaises stéréotypées de l'Italie, comme il y a des images italiennes stéréotypées de la France, sur lesquelles il n'est pas inutile non plus de méditer. Mais, pour cerner ces images, pour voir comment elles sont nées et comment elles se sont transmises, il ne faut pas se limiter aux « grands auteurs », au lyrisme stendhalien pour qui l'Italie signifiait le bonheur de vivre, ni aux phrases acerbes d'un Président de Brosses qui ne perdait pas une occasion d'exercer avec talent un esprit critique développé. Il faut feuilleter ces « textes anodins », comme dit Marguerite Yourcenar, qui, de fait, sont, le plus souvent, loin d'être des chefs-d'œuvre; il faut les feuilleter en essayant de discerner ce qui a été vécu et ce qui a été inventé, ce qui est impression authentique et ce qui a été copié dans les livres, et surtout en essayant de comprendre comment, dans ces lentes stratifications, apparaissent un certain nombre de traits qui, malgré tout, peuvent être considérés, je crois, comme des constantes.

Il y aurait imprudence de ma part à tenter de dégager ici quelques-unes de ces constantes, au moment précis où, dans une initiative que j'approuve et que j'appuie, l'Istituto Nazionale di Archeologia e Storia dell'Arte et le Centre Jean Bérard viennent de mettre en œuvre une série de publications de ces récits de voyage; d'autres institutions en Italie et en France travaillent, je le sais, dans le même sens, et on ne peut que se réjouir de voir se profiler ainsi tout un ensemble de nouveaux documents d'histoire. Me

VIII

risquerai-je cependant à avancer le sentiment de qui a lu un certain nombre de textes publiés jadis ou naguère? Oui, s'il est entendu qu'il s'agit d'impressions provisoires que je soumets en toute modestie aux « addetti ai lavori » de ces diverses entreprises.

Il est clair, me semble-t-il, qu'on trouve dans la plupart des récits de voyages français l'expression d'une très grande admiration pour l'Italie, admiration qui cependant n'est pas inconditionnelle et qui s'accompagne d'un certain nombre de réserves, presque toujours les mêmes. Au cours des siècles passés, les Français ont vu dans l'Italie le lieu privilégié où « l'honnête homme » pouvait le mieux se former non seulement le goût — cela va de soi — mais le jugement. « Ce voyage m'a développé l'esprit d'une manière presque tangible », disait modestement le grand-père de Marguerite Yourcenar, et, notons-le bien, c'est exactement ce que pensait, deux siècles plus tôt, Colbert qui, peu de temps après avoir fondé l'Académie de France, envoyait son fils, le Marquis de Seignelay « pour se former le jugement ». Mais en même temps, sans doute pour tenir compte des éventuelles réactions de leurs lecteurs, nos voyageurs sentent souvent le besoin de s'excuser de cette admiration. Il faut relire à cet égard la préface au *Voyage d'un François en Italie* de Lalande, cet astronome bressan cultivé dont le guide fut sans doute l'ouvrage le plus utilisé par les voyageurs en Italie dans la seconde moitié du XVIIIᵉ siècle: « En Italie, les choses belles, grandes, singulières sont en plus grand nombre que dans tout le reste de l'Europe. Sans parler des restes prodigieux de l'antiquité et des chefs-d'œuvre immortels qu'on y trouve dans tous les arts, n'est-ce pas en Italie que nous voyons la nature dans toute sa beauté, la végétation dans toute sa vigueur, la culture dans toute sa perfection? » Mais aussitôt il ajoute: « Ce n'est pas qu'il n'y ait en France des choses admirables dans tous les genres. On ne trouve pas en Italie de capitale immense comme Paris » et Lalande énumère tout ce qu'on ne trouve pas en Italie, Versailles, le Louvre, Chantilly, etc. et il conclut: « Il me suffit pour justifier l'admiration que j'ai laissé paroître dans cet ouvrage que le voyage d'Italie soit regardé comme le plus agréable et le plus beau de tous ceux qu'un Français peut faire hors de chez lui ». Pouvait-on mieux dire?

IX

Ainsi l'Italie est un pays admirable, mais l'admiration qu'elle suscite ne doit pas nous porter à rabaisser la France. Mais il y a plus: de quelle Italie parlons-nous? Là encore, nous ne devons pas généraliser; cependant, il semble bien que, surtout à partir du XVIIIᵉ siècle, beaucoup de voyageurs opposent l'Italie de leur jeunesse ou de leur culture, celle de la grandeur romaine, à celle qu'ils découvrent au cours d'un voyage souvent long, difficile, et parfois décevant. Non, Rome n'est plus dans Rome! Et Naples donc! Il faut relire les pages de Sade, où le divin Marquis, en phrases courtes, donne une image terrible de la société napolitaine (nous sommes en 1776) et de son Bourbon de roi, ce grand dadais de Ferdinand IV. Et quelles images ailleurs de la société ecclésiastique! Excessifs sans doute, ces jugements ne sont peut-être pas dénués de tout fondement. Mais là n'est pas le problème. Ce qui frappe, c'est l'espèce de délectation avec laquelle beaucoup de voyageurs français soulignent ce contraste.

Et pourtant! Si on lit avec attention les lignes parfois hâtives, parfois recopiées avec soin, de ces récits, combien de témoignages ne trouve-t-on pas d'une sympathie pour un pays proche (trop proche peut-être à certains égards), d'une connivence dans les choses de la vie, d'une amitié qui s'établit presque spontanément avec les personnes. Dans tout cela, ne découpons pas d'un ciseau ou d'un regard pessimiste les phrases qui font mouche et qui, le plus souvent, ne sont que des clins d'œil, significatifs il est vrai, à l'éventuel lecteur.

Aujourd'hui, la profondeur de champ de l'histoire s'est considérablement accrue; par ailleurs, dans le domaine de la littérature, on ne s'intéresse plus seulement aux chefs-d'œuvre, mais aux courants de pensée, à tout ce qui témoigne des goûts, des réactions, des intérêts des hommes. C'est au confluent de ces deux grandes évolutions que se situe la volonté d'établir des éditions critiques simples, et utilisables par tous, de ces récits de voyage d'Italie. C'est pourquoi, avec la conviction profonde qu'une réflexion sur ces documents peut contribuer à éclairer les rapports affectifs qui existent entre nos deux peuples amis, je souhaite que cette nouvelle collection ait le succès qu'elle mérite.

GILLES MARTINET
Ambassadeur de France en Italie

UNA NUOVA INIZIATIVA FRANCO-ITALIANA

La promozione di un'iniziativa come questa, in questi non facili tempi, presuppone certamente ferma fiducia nel valore scientifico e soprattutto umano della ricerca, specie se questa è diretta ad una più compiuta conoscenza delle motivazioni storiche del nostro comportamento culturale e tanto più se la stessa assume l'onere di una nuova esplorazione di fonti, in quel vasto e ripetutamente « arato » campo dei viaggi in Italia dei secoli scorsi e, in particolare, di quel Settecento francese, che teorizzò il valore formativo del Grand Tour. Eppure, il filone del *Journal de voyage* e delle *Lettres d'Italie* appare ancora ricco di prospettive di ricerca e, perché no, di sorprese.

Il fatto è che il *Voyage* conobbe una voga così ampia proprio perché genere considerato minore, in qualche misura autobiografico e individuale, tale, cioè, da non intimidire anche chi, pur senza intenti letterari, voleva fissare il ricordo di un'esperienza importante e spesso non più ripetuta. Ciò spiega, anche, l'eterogenea composizione del mondo degli autori, tanto diversi per estrazione, professione, bagaglio di cultura: vero spaccato di un corpo sociale che, da prevalentemente aristocratico quale era agli inizi, si fa nel tempo riflesso di un'Europa borghese.

Naturalmente, è impossibile racchiudere una produzione tanto vasta in una formula complessiva: il *Voyage* tende rapidamente a farsi « genere » e, anche se quasi mai mancano spunti personali, il pregio varia grandemente, dal capolavoro letterario all'imitazione banale, dalla testimonianza illuminante al luogo comune. Ma, per paradosso, il ricorrere di tratti ripetitivi non costituisce l'ultimo dei motivi di interesse: è proprio qui che possiamo seguire, man mano, il formarsi di un'immagine dell'Italia, della sua storia, delle sue realizzazioni, che verrà ad imporsi nella cultura media, determinando, fino ai nostri giorni, il giudizio (e, a volte, il pregiudizio) del visitatore straniero nell'approccio con la realtà del nostro paese.

Nella maggior parte dei casi, tali opere non erano destinate alle stampe, ma, al più, alla lettura in limitati cenacoli di amici o in circoli culturali; spesso sono rimaste manoscritte nelle librerie di famiglia o negli atti delle sedute di qualche Accademia. La ricerca nei fondi di biblioteca e di archivio, cui si è attinto, in Francia e in Italia, il gruppo di lavoro coordinato da Georges Vallet, ha portato frutti inattesi. Ne è nata una collaborazione scientifica franco-italiana, che non poteva non trasferirsi anche sul piano delle istituzioni: il Centre Jean Bérard, del Ministère des Relations Extérieures, e l'Istituto Nazionale di Archeologia e Storia dell'Arte, con il patrocinio e il sostegno del Ministero per i Beni Culturali, hanno dato inizio a questa serie che, sotto il titolo « Memorie e Documenti su Roma e l'Italia meridionale » (Mémoires et Documents sur Rome et l'Italie méridionale), pubblicherà, con introduzione e note nell'una o nell'altra lingua, testi per lo più inediti. Siamo certi dell'interesse che l'iniziativa verrà a suscitare, anche al di fuori delle cerchie degli specialisti: la sua validità culturale viene potenziata dall'attualità di una ricerca che — come dicevamo dianzi — scende a ritracciare le matrici di un rapporto fra Italia e Francia, divenuto, nel tempo, un legame profondo e irreversibile.

Un grazie cordiale a Georges Vallet e Fausto Zevi, promotori dell'iniziativa e responsabili dell'attuazione della stessa, con l'augurio fervido che altre imprese, simili a questa, possano nel futuro essere assunte, nel progetto di una sempre più ampia diffusione della cultura comune.

FRANCESCO SISINNI
Direttore Generale Ministero
Beni Culturali ed Ambientali

LAURA MASCOLI

LE "*VOYAGE DE NAPLE*,,
(1719)

DE
FERDINAND DELAMONCE

Préfaces
de
Massimo Colesanti et Daniel Ternois

Centre Jean Bérard
Naples, 1984

BIBLIOTHÈQUE DE L'INSTITUT FRANÇAIS DE NAPLES
Troisième Série - Volume III

*Ouvrage financé
par la Direction Générale
des Relations Culturelles
du Ministère des Relations Extérieures*

IL « TAGLIO » DI DELAMONCE

Nel curare questa edizione del Voyage de Naple *di Delamonce, nel quadro delle iniziative del « Centre Jean Bérard », per tanti aspetti così opportune e benemerite, Laura Mascoli dà prova di un raro equilibrio, e gliene diamo con piacere e preliminarmente atto. Perché la pubblicazione di un'opera inedita comporta sempre dei rischi, e non solo quelli « obbiettivi », che possono andare dalla trascrizione del manoscritto alla ricerca di dati: il pericolo più grosso rimane quello di sopravvalutare il testo recuperato, di sottolinearne eccessivamente l'importanza, quasi che l'« inedito » avesse sempre in sé una sua giustificazione o autosufficienza. Ora la Mascoli anzitutto dichiara che il suo interesse per questo « viaggio » è nato per così dire in margine all'edizione dei* Carnets d'Italie *di Delannoy, che sta preparando, cioè come una ricognizione in vista di un lavoro più ampio; una lettura dunque in certo senso « obliqua » (ma non necessariamente secondaria); e questo già pone il documento offerto nella sua giusta dimensione di supporto e di punto di riferimento, fra gli altri, per un discorso ancora in fieri. Quindi nella valutazione specifica del testo, analizzato in modo del tutto esauriente, e con intelligenza, nell'introduzione, e poi fittamente e dottamente annotato, dimostra con estrema evidenza i limiti di questa breve relazione di Delamonce, limiti di spazio, di tempo, di argomento, e di struttura, che però non risultano, in buona parte almeno, dei « difetti » o delle carenze tali da renderne trascurabile o addirittura superflua la lettura. Direi che è vero il contrario.*

Delamonce infatti, che pur segue quasi sempre itinerari usuali, e ripete non pochi luoghi comuni, fa scelte di campo precise, se non in tutto esclusive, dando al suo discorso un taglio indubbiamente originale. *Architetto e cultore di belle arti, egli restringe la sua attenzione soltanto a ciò che richiama il suo interesse particolare, aggiungendo qualche « pennellata » di contorno. Dopo un « prodromo » piuttosto lungo — il resoconto del viaggio da Roma a Napoli (che non occupa meno di un terzo dell'intero manoscritto, e che offre più di uno spunto inedito, come sottolinea la Mascoli) —, la sua « visita » è per la sola città di Napoli (senza alcuna « divagazione » per i suoi celebri dintorni), e qui circoscritta alle sue chiese (e nemmeno tutte) e a qualche palazzo, e ancora più limitatamente, nelle chiese, ad alcune strutture architettoniche ed alle pitture, con predilezione evidente per il Solimena. Non dunque il solito « viaggio » che pretende di dir tutto su tutto, usi, costumi, aneddoti, la tradizione e il quotidiano, ma una « visita culturale », che scansa o elimina ogni dettaglio che non rientri nel piano prestabilito. Ma è proprio per questo che il gusto di Delamonce, così sensibile al barocco napoletano contemporaneo, e perciò così anticlassico, ed anche così pronto per altro verso a condannare gli addobbi eccessivi, il sovraccarico di decorazioni, i « colifichets » e la « marqueterie », raggiunge un notevole rilievo, se non per grande profondità di giudizio ed esattezza (gli errori, le lacune, ed i « prestiti » da altri viaggi precedenti non mancano), per la concentrazione, la densità e la sua stessa parzialità. E nell'introduzione, e ancora di più nel puntuale e ricco commento, la Mascoli, mentre si ferma, con grande rigore filologico, a rettificare, a precisare, a cogliere ed a spiegare ogni allusione (e tenendo ben presente tutta la letteratura sull'argomento, dal Cinquecento al Settecento, e fino agli studi specifici più recenti), non perde di vista l'importanza di questa « visione » indubbiamente settoriale e contenuta, quale piccolo ma prezioso contributo alla storia del gusto dei viaggiatori francesi a Napoli.*

E d'altra parte è sempre questa parzialità, questo interesse unilaterale a rendere difficile per Delamonce la rielaborazione degli appunti presi sul posto — e che vanno quasi tutti in un senso — in una struttura letteraria, cioè nella « finzione », nel Settecento già ormai largamente diffusa (e prima ancora di un de Brosses, di una Madame du Bocage, o di un Roland), della Lettre sur... *Qui il camuffamento è quasi sempre abbastanza scoperto — e lo denuncia assai bene la Mascoli: — non sono sufficienti pochi tocchi sul modo di vivere dei napoletani (la sobrietà, i maccheroni, l'esprimersi a gesti, ecc.) o sul paesaggio (il Vesuvio che appare in fondo ad una strada) per ricreare un'immagine vivente e immediata della città, un quadro se non completo, almeno « en raccourci », degli aspetti belli, o meno belli, o deteriori, di Napoli. Non è che qualche tentativo per restituire e « teatralizzare » le proprie impressioni non ci sia, e non sia riuscito, come ad esempio quello di iniziare la descrizione con uno sguardo dal basso, naturale e scontato, certo, con tutte le case che gli sembrano come scoperchiate da un uragano (Misson, con immagine meno felice, aveva parlato di case decapitate), e di terminarla con uno sguardo più ampio e come riassuntivo dall'alto della Certosa di San Martino, « une vue des plus vastes et des plus variées de l'univers ». Ma sono tentativi rari e frammentari. Questa Lettre sur Naples è in sostanza una Lettre sur les église de Naples, che ha come filo conduttore una specie di « inseguimento » del Solimena. Ed in questo tratto ha la sua originalità. Come osserva giustamente la Mascoli, non chiediamo a Delamonce più di quello che egli ha potuto e voluto darci.*

Per questi motivi, ed entro i limiti indicati, la pubblicazione dell'inedito Voyage de Naple *così impeccabilmente presentata dalla Mascoli, aggiunge un'altra tessera non irrilevante al mosaico ancora in fase di restauro non molto avanzato dei « viaggiatori francesi dell'Italia del Settecento ». Nella mia relazione al Convegno sul teatro a Roma nel Settecento (novembre 1982), lamentavo la mancanza di una bibliografia o di una rassegna di questo genere, analoga e corrispondente a quella che ci diede, già molti anni fa (nel 1962) Gian Carlo Menichelli (Viaggiatori francesi reali o immaginari nell'Italia dell'Ottocento). Vedo con piacere che il « Centro Jean Bérard » annuncia un inventario delle guide e dei viaggi nell'Italia meridionale, e che ci si muove quindi nella direzione giusta. Non ci resta che augurarci che questa agguerrita « équipe » voglia assumersi anche il compito utilissimo di darci un « pendant » settecentesco del lavoro di Menichelli: la storia dei rapporti fra le nostre due culture ne uscirebbe indubbiamente avvantaggiata e arricchita.*

MASSIMO COLESANTI
Direttore dell'Istituto di Studi francesi
Università di Roma

UN LYONNAIS EN ITALIE:
FERDINAND DELAMONCE

J'ai accepté avec plaisir de présenter, dans la belle édition que nous en donne Laura Mascoli, le Voyage de Naple *de Ferdinand Delamonce: voici, en effet, qui souligne les liens qui peuvent exister entre des institutions universitaires françaises en Italie, comme l'École française de Rome et le Centre Jean Bérard, les Universités italiennes, et un Institut, sans doute plus modeste, comme celui de Lyon. Ce dernier, l'Institut d'Histoire de l'Art, s'est proposé depuis une dizaine d'années d'étudier le rôle de Lyon comme ville de passage et d'échanges entre l'Europe du Nord et l'Italie. Une* Bibliographie critique de l'histoire de l'art à Lyon *et un* Cahier *sur* Les séjours et passages d'artistes à Lyon, 1500-1800 [1], *les* Actes du Colloque Soufflot et l'architecture des Lumières [2], *et bientôt un recueil d'études sur* Lyon et l'Italie [3] *sont les étapes principales de ces recherches qui s'orientent maintenant vers les relations de voyages et les descriptions de villes: la réédition annotée, par Gilles Chomer et Marie-Félicie Pérez, de la* Description de la ville de Lyon *de Clapasson (1741) a donné le coup d'envoi [4]. C'est dire à quel point cette offre de collaboration est bienvenue.*

[1] *Travaux de l'Institut d'Histoire de Lyon*, n⁰ 1 (1974) et n⁰ 2 (1976), Université Lyon II.

[2] Actes du Colloque *Soufflot et l'architecture des Lumières*, Lyon, 1980, Paris, C.N.R.S. et Direction de l'Architecture, 1980.

[3] *Lyon et l'Italie*, Lyon, C.N.R.S., à paraître en 1984.

[4] André Clapasson, *Description de la ville de Lyon, 1741*, édition annotée par Gilles Chomer et Marie-Félicie Pérez, éditions du Champ Vallon, 01420 Seyssel, 1982.

Une de nos étudiantes, Bernadette de Villaine, a consacré une thèse de troisième cycle à Jean et Ferdinand Delamonce [5], *qui définissait avec précision la figure de nos deux architectes lyonnais. Mais, d'évidence, s'agissant du* Voyage de Naple, Laura Mascoli *était mieux placée pour expliciter les allusions aux édifices et aux œuvres d'art de la cité campanienne. C'est donc elle qui a pris en charge la publication. Il y a tout lieu de s'en réjouir puisque le travail d'annotation est d'une précision exemplaire et que l'introduction, très développée, soulève les vrais problèmes: récits de voyages et descriptions de Naples avant Delamonce (plusieurs Lyonnais sont cités); genre à la mode des « lettres » vraies ou fictives; importance des conférences ou discours académiques comme moyen d'information international sur les faits et sur les idées; parts respectives, dans les descriptions, des vestiges de l'antiquité et de l'art moderne; place de la peinture et de la sculpture par rapport à l'architecture; jugements des voyageurs français sur la qualité de l'architecture et sur la profusion du décor; précision des « choses vues », mais absence de vues d'ensemble sur « l'histoire de l'art » napolitain etc. . . . Il n'y a rien à ajouter à cela.*

Qu'on me permette simplement quelques mots sur la personnalité de Delamonce et sur les circonstances de son voyage [6]. *Ferdinand Delamonce était le fils de l'architecte et peintre Jean Delamonce, né à Paris en 1633, actif en Bavière, puis à Chambéry où il participa aux décorations de la ville pour les fêtes de la cour de Savoie, et enfin à Lyon où il mourut en 1708 après avoir élevé plusieurs édifices importants. C'est à Munich que naquit Ferdinand en 1678. Il suivit sa famille à Lyon en 1684, collabora avec son père, si bien que la distinction entre leurs œuvres demeura longtemps incertaine, puis*

[5] Bernadette de Villaine, *Jean et Ferdinand Delamonce*, thèse de troisième cycle, Université Lyon II, 1982 (manuscrit déposé à l'Institut d'Histoire de l'Art).

[6] Voir L. Charvet, « Les Delamonce », *Réunion des Sociétés des Beaux-Arts des Départements*, 1892; L. Charvet, *Lyon artistique, architectes*, Lyon, 1899; Marius Audin et Eugène Vial, *Dictionnaire des artistes... Lyonnais*, Paris, 1918, t. II, p. 255-256; B. de Villaine, *Jean et Ferdinand Delamonce*, thèse ms., première partie.

alla à Paris, dessina des vues des Invalides et de Versailles qui furent gravées. Puis il fit un long séjour en Italie, de 1715 à 1728, date à laquelle il rentra en France par Aix, Avignon (église de l'Oratoire), Grenoble, avant de s'établir à Lyon en 1731.

Ses principaux travaux dans cette ville, dont il fut l'architecte le plus en vue jusqu'à l'arrivée de Soufflot, sont des remaniements à la chapelle des Jésuites (1734), l'achèvement de l'église des Chartreux (1734-40) dont Soufflot réalisa la décoration, la construction des quais du Rhône (1736-38), la maison Tolozan (1740) et les lambris rocaille de l'ancienne chapelle de Fourvière. Dessinateur abondant, il a fait graver beaucoup de ses compositions par Daudet. Il mourut en 1753.

Reçu à l'Académie de Lyon en 1736, il a lu devant ses confrères de nombreux Discours (environ un par an, soit environ 21): Marie-Félicie Pérez en a rétabli la chronologie d'après le Journal des séances et a publié l'un d'eux, les Remarques sur le livre du marquis d'Argens (1753) qui contient des « parallèles » sur les peintres[7]. Bernadette de Villaine a dressé une table de concordance entre les différents catalogues. Les manuscrits, en partie inédits, sont conservés à la bibliothèque de l'Académie de Lyon, à l'exception de deux qui sont perdus. Ils appartiennent à trois catégories: les relations de voyages, les descriptions de monuments et les réflexions sur la théorie des arts. Le Voyage de Naple (rédigé en 1719 et lu en 1740) appartient au premier groupe.

Les circonstances du voyage en Italie de Ferdinand Delamonce sont mal connues. B. de Villaine a apporté quelques précisions grâce à Frits Lugt qui indique une piste possible[8]: Pierre Crozat, le banquier et amateur d'art bien connu, était venu à Rome en novembre

[7] Marie-Félicie Pérez, « L'art vu par les académiciens lyonnais du XVIIIe siècle. Catalogue des communications et mémoires présentés à l'Académie (1736-1793) », Mémoires de l'Académie des Sciences, Belles-Lettres et Arts de Lyon, t. XXXI, 1977, p. 71-128; ead., « Un discours inédit de Ferdinand Delamonce, 1753 », Mélanges offerts à Georges Couton, Presses Universitaires de Lyon, 1981, p. 485-506.

[8] Frits Lugt, Les marques de collections, Paris, 1921, p. 546. Les références à Lugt, Mariette, Guiffrey, Pernetti sont données par B. de Villaine.

1714 pour acquérir, au nom du Régent, le duc d'Orléans, la collection du duc de Bracciano, qui provenait de Christine de Suède, et il profita de l'occasion pour visiter l'Italie et enrichir sa collection personnelle. De retour en France, en mars 1715, il « entretint ses relations avec l'Italie par correspondance » et fit acquérir tout le cabinet du savant Pio à Rome, « grâce à l'intermédiaire de M. de la Monce ». Delamonce vint-il spécialement dans ce but en Italie ou s'y trouvait-il déjà? Fut-il emmené dans la suite de Crozat pour le conseiller et parfaire en même temps sa propre formation artistique, comme c'était l'usage de la part des voyageurs fortunés? Quels furent son activité, ses déplacements à travers l'Italie? On l'ignore. Nous savons seulement par Mariette [9] qu'il était l'ami de Paul-Ponce Robert, un peintre originaire de Champagne. En 1719 il accomplit le voyage de Naples par la côte, complément indispensable de tout voyage en Italie. Son nom réapparaît en 1720, lors de la reprise des tractations Bracciano-Orléans: le cardinal Gualterio, qui fut nonce du pape à Paris, le désigne comme la personne la « plus propre (...) ici » à diriger le transport, délicat, des tableaux [10] et écrit à Crozat le 13 août 1720: « M. de la Mons m'a paru un homme fort attentif, fort zélé et fort capable; d'ailleurs il est déjà entré en connaissance de cette affaire par notre ordre » [11]. Le directeur de l'Académie de France à Rome, Poerson, est convoqué le 26 octobre 1720 par le cardinal Gualterio, chez qui sont également présents le chevalier de la Chausse et « un jeune homme né en Bavière, qui se nomme de la Mons, fils d'un peintre françois de ce nom, lequel doit conduire en France les tableaux que l'on prétend acheter » [12]. La façon dont Ferdinand Delamonce est désigné indique qu'à cette date il n'était pas connu du directeur de l'Académie de France.

Après un silence de plusieurs années, Delamonce est signalé à Pise en 1725. Selon Pernetti, il visite « les principales villes d'Ita-

[9] P.-J. Mariette, *Notes manuscrites*, t. IV, p. 411 (Bibl. Nat., Paris).
[10] J. Guiffrey, *Correspondance des directeurs...*, Paris, 1896-1903, t. V, p. 366.
[11] *Ibid.*, n° 2259, lettre à Crozat, 13 août 1720.
[12] Guiffrey, *Correspondance des directeurs...*, t. V, p. 398, n° 2287.

lie » [13], *les voyages étant, aux dires de l'architecte lui-même, « néces-*
saires pour voir, et méditer dans leur source, les excellens chefs-
d'œuvres, tant anciens que modernes » [14]. *Il cite dans ses manuscrits*
Parme, Modène, Pise, Rome, Naples et les petites villes sur la route
de Rome à Naples. Si on en croit Pernetti [15], *il aurait participé à un*
concours pour l'aménagement du chemin dit de la Trinité, qui con-
duit de la Place d'Espagne au Pincio; mais son projet ne fut pas
retenu.

Delamonce s'intéressait à la peinture autant qu'à l'architecture.
Il a lu à plusieurs reprises devant l'Académie de Lyon des lettres
sur Rome [16]. *Vers le même temps, Soufflot (en 1739) et Clapasson*
(en 1742) lisaient eux aussi des descriptions de Rome. C'est dire à
quel point les académiciens lyonnais, hommes cultivés et amateurs
d'art, étaient curieux de connaître l'Italie qu'ils n'avaient pas tous
visitée, ses villes, ses monuments, ses œuvres d'art de l'Antiquité et
des temps modernes, comme de discuter les idées nouvelles dont ils
avaient très vite connaissance par le Mercure de France, *par le* Journal de Trévoux *et par les livres imprimés à Paris ou à l'étranger.*

DANIEL TERNOIS
Professeur à l'Université de Lyon II

[13] Jacques Pernetti, *Recherches pour servir à l'histoire de Lyon, ou les Lyonnais dignes de mémoire*, Lyon, 1757, p. 363.

[14] F. Delamonce, ms. 158 bis, Bibl. de l'Académie de Lyon.

[15] Pernetti, ms. 124, 1753, fº 139, Bibl. Acad. de Lyon.

[16] Cf. B. de Villaine, 1982, III, p. 472 sq., Tables de concordances des manuscrits et M. F. Pérez, *Catalogue des communications...*, 1977.

Année 1738, F. 74, 28 avril: « M. Delamonce a lu plusieurs lettres qu'il a écrites en vue de faire une description de Rome » (D 820, Recueil nº 136, fol. 21-31).

Année 1745, F. 16, 3 mars: « M. Delamonce voulait lire ses lettres d'Italie, mais le temps a manqué; les lettres nº 57 et 58 indiquent ce qu'il y a de beau à Rome » (nº 450. D 820, Recueil nº 136, fol. 21-31, donc même texte qu'en 1738?). Le manuscrit de 1738 a disparu, mais celui des *Lettres sur quelques édifices de Rome*, daté de mars 1742, qu'on croyait perdu, est réapparu récemment à la Bibliothèque de l'Académie de Lyon.

INTRODUCTION

Le texte de ce *Voyage de Naple* de F. Delamonce est inédit, et cependant il n'est pas inconnu: de fait, des extraits commentés ont été publiés par G. Ceci, dans *Napoli Nobilissima* en 1906: G. Ceci, qui faisait alors, pour la belle revue napolitaine, une brève série de notes sur « Naples vu par des voyageurs étrangers », avait eu connaissance de ce texte par E. Bertaux, alors professeur à la Faculté des Lettres de Lyon, et il semble que la transcription des extraits ait été faite, sinon par Bertaux (il y a quelques erreurs), du moins sous son contrôle[1]. Puis le *Voyage de Naple* tomba dans un long oubli[2]: il n'en sortit que récemment quand A. Blunt, dans un bel article intitulé *Naples as seen by french Travellers 1630-1780*[3], en souligna l'importance, ce que confirma tout dernièrement F. Bologna dans sa contribution sur *La dimensione europea della cultura artistica napoletana nel XVIII secolo* dans *Arti e civiltà del Settecento a Napoli*[4].

[1] G. Ceci remercie E. Bertaux qu'il appelle « notre collaborateur ». On connaît les rapports d'estime et d'affection qui ont uni E. Bertaux avec ses « collègues » de l'Italie méridionale, estime et affection qui n'excluaient pas de graves malentendus. On est surpris aujourd'hui de voir la violence des passions nationalistes: c'est la thèse de Bertaux sur l'importance des influences françaises dans l'art roman de la Pouille qui, au fond, faisait problème. On rappellera par exemple la polémique qui opposa Bertaux à un des collaborateurs de la Revue et où, de part et d'autre, les réactions chauvines prenaient le pas sur le bon sens.

[2] La preuve en est que le nom de Delamonce n'est même pas mentionné dans le beau livre de L. Schudt, *Italienreisen im 17 und 18 jahrhundert*, 1959, 449 p. Voilà qui est significatif quand on connaît l'extraordinaire travail de documentation que représente cet ouvrage.

[3] A. Blunt, *Naples as seen by french Travellers 1630-1780*, dans *Essays in honour of Jean Seznec*, 1974, p. 1-14.

[4] F. Bologna, *La dimensione europea della cultura artistica napoletana*, dans *Arti e civiltà del Settecento a Napoli* (a cura di C. De Seta), 1982, p. 31-78.

Qu'on excuse ici une rapide parenthèse à caractère personnel: préparant la publication des *Carnets d'Italie* de F. J. Delannoy (qui sont, eux, totalement inédits et inconnus), j'ai voulu comparer la réaction de deux architectes français découvrant, à plus de soixante ans de distance, Naples, ses beautés naturelles et ses architectures. Ces soixante ans, faut-il le souligner, comptent beaucoup. Delamonce vient à Naples en 1719, et si son texte est rédigé et lu à ses confrères de l'Académie de Lyon en mars 1740, ses impressions, ses souvenirs et ses notes datent de 1719. Au contraire, le Voyage de Naples de Delannoy se situe en 1782. En 1719, personne ne parle encore d'Herculanum, même si, quelques années plus tôt (1711), le prince d'Elbeuf, en faisant forer un puits à Portici, avait trouvé les « magnifiques statues » qu'il avait données à son cousin Eugène de Savoie[5]. En revanche, 1780, c'est la grande époque des cités vésuviennes et les « connoisseurs » ne peuvent venir à Naples sans aller visiter les deux villes et sans « pousser » jusqu'à Paestum qui a été « découvert » vers 1750[6]. C'est pour prendre la dimension de ces différences qu'il m'a semblé important de lire dans son intégralité le texte de Delamonce, conservé à la Bibliothèque de l'Académie de Lyon (recueil 136, fol. 187/202 suivi d'un extrait, fol. 203/205), puis, vu son intérêt, d'en proposer la publication. J'ignorais alors qu'une équipe dirigée par D. Ternois et comprenant notamment Marie-Félicie Pérez et Bernadette de Villaine[7]

[5] Cf. à ce sujet Egon Corti, *Ercolano e Pompei*, 1957, p. 118-124. Pour tout ce qui concerne les voyageurs français et la découverte d'Herculanum et de Pompéi, on se référera désormais à la publication de Ch. Grell, *Herculanum et Pompéi dans les récits des voyageurs français du XVIIIe siècle*, 1982.

[6] On sait en réalité que la « découverte » de Paestum au milieu du XVIIIe siècle est un mythe plus au moins créé par les voyageurs (Grosley notamment) et qui eut une extraordinaire fortune: cf. à ce sujet l'introduction au Catalogue *De la découverte de Paestum à la fortune du néo-dorique* (à paraître).

[7] B. de Villaine est l'auteur d'une thèse de 3e cycle présentée à l'Université de Lyon 2 sous l'autorité de D. Ternois (1982) intitulée *Jean et Ferdinand Delamonce*, où elle transcrit la totalité des « discours » de F. Delamonce dont les manuscrits sont à l'Académie de Lyon. M. F. Pérez a consacré à notre sujet deux importants articles: le premier, intitulé *L'art vu par les Académiciens lyonnais du XVIIe siècle, Catalogue des communications et mémoires pré-*

s'occupait de l'œuvre de Delamonce. J'ai beaucoup profité de leur expérience et de leur gentillesse et, je le redirai, j'ai apprécié autant leur générosité que leur compétence. Mais, j'y insiste tout de suite, mon propos n'était pas d'étudier en soi Delamonce, mais simplement de juger, compte tenu bien entendu de sa personnalité, la réaction, longuement racontée, devant Naples d'un architecte français connaissant bien l'Italie[8] dans les années 1720. C'est là le but de mon travail.

11 mars 1719: Delamonce part pour Naples où il restera pour un séjour sans doute assez bref, mais dont il ne nous est pas possible de préciser la durée exacte (la seule autre indication chronologique qu'il nous donne est qu'il n'est plus à Naples au moment du miracle de saint Janvier, soit vers le début de mai: cf. *infra*, p. 98, n. 55). 8 mars 1740: il lit à l'Académie le récit de ce voyage rédigé sous forme de lettre.

Premier sujet d'étonnement: quel que soit le genre littéraire adopté, en l'occurrence celui de la lettre, il est clair que le texte est, à certains égards, « aggiornato » à la date de 1740. C'est ce que montre par exemple la rédaction concernant le Palais Royal: il est « aujourd'hui » (c'est-à-dire en 1740) la résidence de Don Carlos, qui, à ce qu'on a rapporté récemment à Delamonce, y a « fait faire des changements et des augmentations considérables »[9]. En revanche, au moment de son voyage (1719), le « Royaume de Naple était *alors* [c'est nous qui soulignons] occupé par l'empereur »[10]; de même, plus loin, Delamonce rapporte une « réponse bien extraordinaire du Comte de Taun [*sic*] alors vice-roy pour

sentés à l'Académie (1736-1793), dans *Mémoires de l'Académie des Sciences, Belles-Lettres et Arts de Lyon*, XXXI, 1977, p. 71-128, le second *Un discours inédit de Ferdinand Delamonce (1753)*, dans *Mélanges Georges Couton*, 1981, p. 485-505.

[8] En effet, Delamonce est resté en Italie près de vingt ans de 1710 à 1729: cf., outre la *Biographie Universelle* de Michaud et le *Nouveau dictionnaire biographique et critique des architectes français de Bauchal*, M. F. Pérez, 1981, p. 479 et D. Ternois, *supra*, p. XXI-XXII.

[9] Cf. *infra*, p. 83.

[10] Cf. *infra*, p. 66.

l'empereur » [11]. Ce qui ne peut pas ne pas nous surprendre, c'est que ces allusions au changement de régime intervenu depuis la date du voyage jusqu'à la lecture du texte sont faites en passant, à propos de détails ou d'anecdotes. Il n'y a nulle part un « avertissement » qui précise que les temps ont changé et que Naples n'est plus sous la domination autrichienne mais qu'elle est la capitale des Bourbons.

Second sujet d'étonnement: le texte commence par une longue introduction qui n'est pas exempte de rhétorique sur Naples, son image et ses mérites, et il finit, de façon plus qu'abrupte, sur la description, ou plutôt sur l'évocation d'un tableau qui se trouve dans la sacristie de la Certosa di San Martino. Ainsi se terminait sans doute la lecture faite le 9 mars 1740, mais était-ce bien la fin du *Voyage de Naple*? Ce qui oblige *a priori* à se poser cette question, c'est que, dans son introduction, Delamonce annonce que, pour compenser la déception que ne manquera pas de produire la description de la ville de Naples, il joindra « quelques singularitez des environs et même de la route . . . ». Or, s'il décrit longuement la route Rome-Naples (il n'y a pas un mot sur le retour), on ne trouve pas la moindre allusion aux « environs » de Naples, qui, à l'époque, représentaient sans doute le centre d'intérêt le plus évident du voyage en Campanie. Nous y reviendrons; mais, auparavant, voyons comment, au moins dans ses grandes lignes, est composé notre texte.

Après l'introduction que nous avons signalée, figure le récit du voyage de Rome à Naples; notons tout de suite que sur les trente-trois grandes pages que comporte le manuscrit, ce voyage ne représente pas moins de dix pages, soit presque le tiers du texte. C'est, au vrai, moins un récit de voyage, même s'il y a, ici ou là, quelques détails intéressants sur les moyens de transport, les routes ou les gîtes, que la description des principales curiosités des villes qui sont sur la route. Comme le font le plus souvent les voyageurs allant à Naples, l'itinéraire suivi est celui de la côte (on revient souvent par l'intérieur, c'est-à-dire par la route du Mont Cassin):

[11] Cf. *infra*, p. 80.

après les Monts Albains, les principales « curiosités » (nous évitons à dessein le mot étapes puisque Delamonce ne nous parle ni des postes, ni des endroits où il fait halte pour la nuit) sont Velletri, Terracine, Gaète, Capoue et Aversa. Aux trois premières villes citées, Delamonce consacre de longs développements (deux à trois pages chacune); notons au passage que l'excursion à Gaète, qui se fait en bateau à partir de Formies (qui s'appelle alors Mola), fait partie des traditions du voyage de Naples et qu'on la retrouve à peu près chez tous les voyageurs; en revanche, les indications sur Capoue sont brèves, et très vite, nous voici à Naples.

Les pages du manuscrit consacrées à la description ou à des commentaires sur la cité fameuse se limitent très étroitement, nous l'avons dit, à la ville elle-même. L'ordre suivi n'a rien d'original: après une page qui donne les impressions d'ensemble, où se mêlent d'ailleurs des remarques sur l'architecture et d'autres sur la vie des gens et des rues, Delamonce passe aux palais: le palais royal, le palais des Études (l'actuel Musée archéologique national), ce qui est l'ordre de tous les guides et de tous les récits de voyageurs, les « sièges » de la noblesse, le palais Carafa et enfin un paragraphe sur le prétendu palais de Solimène (cf. note *ad loc.*, p. 91, n. 47). Le tout ne représente guère plus de deux pages; suit un paragraphe sur les fontaines, un autre sur les rues, et nous voici aux églises: pour Delamonce comme pour tous les visiteurs de Naples, c'est là ce qu'il y a de plus extraordinaire. « Reste à parler des églises, ès quelles gît la plus grande beauté et la plus grande magnificence des bastimens de Naples, et si vous autez cinq ou six églises des plus anciennes de Rome ..., il n'y a point de doute que les églises de Naples vont du pair, et peut estre surmontent celles de Rome en grandeur » écrivait déjà Bouchard en 1632 [12]. Laissons de côté le jugement esthétique et la comparaison avec Rome — nous y reviendrons — mais rappelons aussi le texte de Misson: « Ce qui nous a paru le plus extraordinaire, à Naples, c'est le nombre et la magnificence de ses églises; je puis vous dire sans exagérer que

---

[12] J. J. Bouchard, *Journal*, II, éd. E. Kanceff, p. 251-252.

cela surpasse l'imagination » [13]. Mais, tandis que Misson ne leur consacre que quatre pages (et Bouchard deux), car, s'il a « visité vingt-cinq ou trente de ces superbes églises », il ne va en « indiquer que quelques-unes » qu'il a trouvées « les plus remarquables » [14], Delamonce, lui, en signale, avec des descriptions ou des évocations plus ou moins longues, vingt-six! Il se rend compte que « ces détails qui ne concernent que les beaux-arts pourroient peut-être fatiguer », s'il ne faisait quelques « parenthèses » [15]. Alors, comment va-t-il procéder?

Il commence par les églises qui demandent le plus long développement: cinq églises, plus la Guglia de San Gennaro, sont décrites en sept pages et là prend place la première « parenthèse »: une page, au vrai, assez creuse, sur la frugalité de la noblesse, les vins, les fruits, et aussitôt nous voilà repartis pour « la description de ces magnifiques églises de cette ville » [16]. Suit un commentaire en trois pages sur neuf églises, et voici une autre « parenthèse », beaucoup plus importante cette fois, sur les antiquités de Naples (il ne s'agit, j'y insiste, que de celles que l'on trouve dans la ville elle-même) qui servent de point de départ à une « réflexion sérieuse » sur la façon dont nous devons considérer ces antiquités. La page est très importante, et nous y reviendrons. Puis, sans souci de transition, Delamonce reprend « la recherche des objets les plus dignes de remarque » et voici, en deux pages, la description de douze églises, et le texte se termine par la Chartreuse de San Martino.

Voilà la structure de notre texte. Mais ne nous laissons pas tromper par cette énumération d'églises: certes, Delamonce est un architecte, mais il s'intéresse autant de peinture que d'architecture [17] et la plupart de ses développements concerneront les œuvres

[13] M. Misson, *Voyage d'Italie*, éd. 1743, II, p. 90.
[14] M. Misson, *ibidem*, p. 91.
[15] Cf. *infra*, p. 116.
[16] Cf. *infra*, p. 121.
[17] Rappelons par exemple que, dans ses Communications à l'Académie, Delamonce a présenté en 1736 un parallèle entre la sculpture et la peinture (pour lui plus importante); qu'il a fait, en 1737, un véritable cours sur la

d'art (fresques, tableaux) qu'il a notées dans les églises. Nous verrons combien ces jugements sont importants pour apprécier le « goût » de la première moitié du XVIIIe siècle.

Auparavant, définissons déjà de façon négative l'originalité de notre texte: certes, il se présente comme un voyage à Naples, mais, comme il le souligne lui-même, Delamonce se limite à ce qui touche aux « beaux-arts ». Rien, pratiquement, sur les beautés de la nature et les splendeurs du site; rien sur les îles, rien sur les Champs Phlégréens et les souvenirs de Virgile; pas un mot sur les « lazzaroni » qui sont à l'origine de tant de développements faciles [18], bref, Delamonce a choisi de traiter un « sujet », même s'il sacrifie — et cela est étrange — aux règles du récit de voyage en décrivant les villes situées sur la route de Naples; mais, répétons-le, il y sacrifie jusqu'à un certain point, car les descriptions qu'il donne sont de nature à apprendre quelque chose de précis à ses confrères de l'Académie.

Nous sommes en effet loin du voyage traditionnel de Naples. Rappelons-nous: il suffit de reprendre et de feuilleter le livre de Schudt pour voir que, dès l'époque la plus ancienne, ce qui compte d'abord, dans le voyage de Naples, c'est la visite des Champs Phlégréens. Puis, avec un peu plus de temps, on pourra aller à Capri; d'autres, comme Bouchard, iront même à Salerne, voire à Amalfi et à Ravello, mais pour la plupart des voyageurs, les « en-

peinture; qu'il a lu, en mars 1741, un mémoire sur l'expression de la peinture. Rappelons également l'intérêt du discours lu à l'Académie en mars 1753, quelques mois avant sa mort, contenant les remarques sur le livre du marquis d'Argens, *Réflexions critiques sur les différentes écoles de peinture* que vient de publier M. F. Pérez. Ajoutons que Delamonce était non seulement un bon critique pour la peinture, mais qu'il faisait lui-même de nombreux croquis des tableaux qui l'avaient particulièrement frappé. Il faut savoir gré à M. F. Pérez d'avoir publié dans les *Mélanges Couton* plusieurs copies des tableaux effectuées par Delamonce (elles se trouvent à Lyon dans une collection particulière).

[18] Il est intéressant toutefois de noter que dans le sommaire qu'il a fait de son texte pour le secrétariat de l'Académie, Delamonce fait allusion aux lazzarini (*sic*), aux « gens du peuple de la rue » mais l'allusion est plus que discrète cf. pour le texte, *infra*, p. 154).

9

virons de Naples », c'est, d'abord et avant tout, la côte qui va de Pouzzoles à Cumes. On ne peut visiter Naples sans aller voir ces « environs »; il y a à cela d'innombrables preuves. Citons-en une seule: le voyage que fit en Italie en 1671 le marquis de Seignelay n'a pas été et n'est pas un de ceux qui ont retenu le plus l'attention, et c'est dommage. Il a fallu attendre près de deux siècles pour qu'il soit publié [19]. Et pourtant: c'était le fils de Colbert qui, sur instruction de son père, partait pour l'Italie pour une durée de trois mois, entre autres « pour prendre connaissance des différentes cours des princes et États qui dominent dans une partie du monde aussi considérable qu'est l'Italie . . ., se former le jugement et se rendre d'autant plus capable de servir bien le roi dans toutes les occasions importantes qui se peuvent rencontrer dans tout le cours de sa vie ». Et les instructions paternelles, qui présentent un très grand intérêt, étaient précises et claires: le jeune homme devrait s'appliquer « pendant tout le cours de son voyage à apprendre l'architecture et à prendre le goût de la sculpture et peinture pour se rendre un jour, s'il est possible, capable de faire la charge de surintendant des bastimens, qui lui donnera divers avantages auprès du roi » [20]. L'organisation de son temps est prévue: « Pour le séjour qu'il fera, il suffira de deux jours à Gênes, deux jours à Florence, huit jours à Rome, trois ou quatre jours à Naples et ses environs ».

Naples et ses environs: vingt ans après le voyage de Seignelay, paraît la première édition du *Nouveau voyage d'Italie fait en l'année 1688* de Misson, d'abord en deux volumes, puis en trois, puis en quatre, qui allait avoir la fortune que l'on sait [21]. Trois « lettres »

[19] C'est en 1867 seulement que fut publié à Paris *L'Italie en 1671. Relation d'un voyage du Marquis de Seignelay . . .* par Pierre Clément, Paris, 1867. Je n'ai pu utiliser pour le présent travail (cf. bibliographie *infra* p. 159) la toute récente publication du *Voyage d'Italie* (1577) de N. Audebert, par A. Olivero (Rome, 1983).
[20] Cité par Schudt, *op. cit.*, p. 141-143.
[21] Misson, de famille protestante, avait dû quitter la France à la suite de la révocation de l'édit de Nantes. Son *Nouveau voyage d'Italie fait en l'année 1688. Avec un mémoire contenant des avis utiles à ceux qui voudront faire le mesme voyage* connut un très grand succès qui se manifesta par une série

(XXII, XXIII et XXIV) du second volume sont consacrées au voyage et à la visite de Naples: la première raconte le voyage proprement dit et décrit l'essentiel de ce qu'il faut voir dans la ville (28 pages); la seconde est consacrée à l'excursion au Vésuve, — « il y a, je vous assure, beaucoup de travail à monter sur ce prodigieux four-neau » [22] — et à la visite détaillée des Champs Phlégréens (28 pages pour ces derniers et 7 pour le Vésuve) et la troisième lettre, con-formément à un usage fréquent à l'époque, aux inscriptions qui se voient dans les églises et qui sont « un répertoire historique de choses d'autant plus agréables que, d'ordinaire, elles sont curieuses et singulières, élégamment exprimées et certaines dans les circonstan-ces des faits et des dates » [23]. C'est dire que, comme le souligne bien l'auteur, Naples et ses environs ne font qu'un tout indissociable d'une richesse extraordinaire: « Je me trouve comme accablé des choses curieuses que nous avons vues du côté de Pouzzol. Ces choses-là ont été plusieurs fois rapportées, je ne l'ignore pas. Mais ... je suis persuadé que vous trouverez quelque chose de nouveau dans ce que j'ai à vous dire » [24].

Oui, le récit était devenu banal et traditionnel; il y avait là d'abord toutes les antiquités imaginables. Dès 1600 (à chaque année sainte le nombre des voyageurs augmente), Jean Antoine Rigaud dans son *Bref recueil des choses rares ... d'Italie* écrivait: « Ce n'est pas tant de voir Naples, car qui ne voit les antiquitez de Possuolo ... ne peut rien voir de rare et de l'antiquité » [25]; mais en

de rééditions (1694, 1698, 1702, 1722, 1742) et de traductions (anglais, hol-landais, allemand). Ce fut sans doute pendant le XVIII⁰ siècle et même le début du XIXᵉ siècle le guide d'Italie le plus lu au moins par les voyageurs français.

[22] Misson, II, p. 118.
[23] Misson, *ibidem*, p. 158.
[24] Misson, *ibidem*, p. 124.
[25] J. A. Rigaud, *Bref recueil des choses rares, notables, antiques, citez, forteresses principales d'Italie. Avec une infinité de particularitez dignes d'estre sçuës, tout vue, descrit et recueilly par J. A. R en son voyage de l'an Sainct 1600*, Aix, 1601, p. 70. Cette importance des environs de Naples par rapport à la ville elle-même n'est pas seulement ressentie par les voyageurs étrangers: plus tard, quand le Duc de Noja publiera sa *Mappa topografica della città di*

plus des antiquités, il y a toutes les curiosités qu'offre la nature, les exhalaisons sulfureuses avec la fameuse grotte du chien, la Solfatara, le Monte Nuovo et ces lieux sacrés où les mystères de la nature vont de pair avec ceux de l'histoire ou de la mythologie, tels le Lac Averne et l'antre de la Sybille de Cumes.

Attention donc à ne pas se méprendre: l'idée est reçue que l'Italie méridionale et la Sicile ont été « découvertes » relativement tard par les voyageurs italiens ou étrangers. C'est vrai en partie, si l'on entend par là que, pendant longtemps, beaucoup de voyageurs ont eu, comme terme de leur voyage, la Campanie, ce qui n'empêchait pas d'ailleurs certains intrépides de descendre sur les routes du Sud et, surtout, les voyageurs revenant par bateau de la Terre Sainte de faire des étapes en Sicile, et, en remontant vers le nord, dans les villes côtières de Calabre. Mais, laissons . . . [26]. Ce qu'il faut rappeler, pour éviter tout malentendu, c'est que le Sud commence au-delà de Naples et que la Campanie, presque au même titre que Rome et comme la Vénétie, est une des régions d'Italie qui, dès les premiers voyages, a été la plus évoquée ou décrite. Les hommes de culture connaissent tout cela: faut-il rappeler que, à peu près au moment où Spon publiait son *Voyage d'Italie* [27], avec, notamment, la liste détaillée des « pièces les plus curieuses . . . de toutes les grandes collections romaines », deux autres Lyonnais éditaient, à Lyon même, leur voyage d'Italie? C'est en 1666 — un an après sa mort — qu'avait été publié le *Journal des voyages de Mon-*

Napoli e de' suoi contorni, trois feuilles sur trente-cinq seront consacrées à la ville. Comme on l'a justement souligné récemment « le mythe des environs est beaucoup plus ancien et plus tenace que celui de la ville, qui, en fait, n'en est guère que le reflet » (V. Valerio, *Per una diversa storia della cartografia*, dans *Rassegna ANIAI*, III, 1980, cité par L. Di Mauro, *Significati e simboli nella decorazione della Mappa del duca di Noja*, dans C. De Seta, *Arti e civiltà del Settecento a Napoli*, 1982, p. 319-320.

[26] Un groupe de travail a entrepris à Naples (Magistero Universitario Suor Orsola Benincasa et Centre Jean Bérard) de faire un inventaire des guides et récits de voyage concernant la Campanie, l'Italie méridionale et la Sicile.

[27] J. Spon et G. Wheler, *Voyage d'Italie, de Dalmatie, de Grèce et du Levant fait aux années 1675 et 1676*, 2 vol., 1679.

sieur de Monconys[28], qui avait fait trois séjours en Italie et qui avait visité Naples: homme de science et de goût, il avait aimé disserter sur l'art, comme aussi Jean Huguetan, plus superficiel sans doute, qui avait publié en 1681 *Le Voyage d'Italie curieux et nouveau*, avec, lui aussi, une visite à Naples. N'oublions pas surtout que le *Nouveau Voyage d'Italie*, en principe anonyme, mais qui est certainement à attribuer à F. Deseine, ce Français installé à Rome comme libraire, livre qui était plus une compilation qu'un vrai récit de voyage et dont nous savons que Delamonce l'avait avec lui (cf. *infra*, p. 135), fut publié également à Lyon en 1699. Or, tous ces « Voyages » prennent en compte la Campanie et Naples. Et, pour nous en tenir à l'essentiel, rappelons la publication, au tout début du siècle, du *Diarium Italicum* de Bernard de Montfaucon[29], celui qui publiera quelques années plus tard, de 1720 à 1724, *L'Antiquité expliquée et représentée en figures*. Il avait passé trois ans en Italie, de 1698 à 1701, à chercher des informations dans les archives et les bibliothèques et, comme Mabillon dont le *Museum Italicum* parut plus tard (1724) mais dont le séjour en Italie (1685-1686) avait précédé celui de Montfaucon, il avait été voir les collections de Monte Cassino, de Cava dei Tirreni. Bref, par le voyage, par les enquêtes de la culture, la route au sud de Rome était de mieux en mieux connue et les Académiciens de Lyon étaient censés connaître tous ces moments successifs de la découverte de la péninsule italienne, Campanie comprise. Faut-il rappeler aussi que c'est de Lyon que partaient régulièrement les voiturins pour la péninsule et que la métropole des Gaules était sans doute la ville de France qui avait le plus de contacts de tous ordres avec l'Italie?[30]

Il faut savoir gré à Marie-Félicie Pérez d'avoir publié les

---

[28] Balthasar de Monconys, *Journal des voyages de Monsieur de Monconys..., publié par le Sieur de Liergues, son fils*, 3 vol., 1665-1666.

[29] Bernard de Montfaucon, *Diarium Italicum, sive monumentorum veterum, bibliothecarum, musaeorum, et notitiae singulares in itinerario italico collectae*, Paris, 1702.

[30] Cf. à ce sujet le volume des *Travaux de l'Institut d'Histoire de l'art de Lyon*, intitulé *Lyon et l'Italie* (à paraître en 1984).

résultats d'une recherche sur les Académies à Lyon au XVIIIe siècle [31]. Résumons-en ici rapidement l'essentiel: après quelques initiatives personnelles sans grand résultat, après une période de premières réglementations, c'est en 1736 que l'Académie des Beaux-Arts se donna un règlement propre, et elle fonctionna indépendamment de l'Académie des Sciences et Belles-Lettres, légèrement plus ancienne, jusqu'en 1738, date où les deux Académies fusionnèrent pour former « l'Académie réunie » (qui dura jusqu'en 1793); donc — et c'est ce qui nous intéresse — de 1736 à 1756, nous avons le *Journal de l'Académie des Beaux-Arts*, qui se présente sous la forme de « registres exemplaires dans leur clarté (numérotation de tous les documents passés entre les mains du secrétaire et la précision de leur résumé » [32].

La première séance a lieu en avril 1736. Delamonce est, dès cette date, membre de l'Académie et, en juin, il va lire son premier discours, consacré à l'architecture; puis, il fera, chaque année, jusqu'en 1748, une ou deux communications et, de cette date jusqu'à sa mort en novembre 1753, il suivra les séances de façon plus irrégulière et tantôt lira, tantôt fera lire par d'autres des communications. Ce qu'il nous faut souligner ici — je répète que la perspective de ma recherche concerne le jugement sur Naples et non l'ensemble de l'œuvre de Delamonce —, c'est que, le 28 avril 1738, Delamonce avait lu « plusieurs lettres . . . écrites en vue de faire une description de Rome » et que, en 1739, il présente deux communications, l'une sur des projets qu'il a pour la construction d'une chapelle dans l'église de Saint-Nizier, l'autre sur « quelques monuments antiques pour les triomphes en Provence et à Rome » [33]. C'est le 9 mars 1740, nous l'avons vu, qu'il lira le texte que nous publions ici.

À ce résumé rapide des analyses de M. F. Pérez, il convient d'ajouter ceci, qui est bien mis en valeur dans l'article cité. Delamonce a visiblement un vaste champ d'intérêts: il s'occupe des

---

[31] M. F. Pérez, 1977, p. 71-127.
[32] M. F. Pérez, 1977, p. 74.
[33] M. F. Pérez, *ibidem*, p. 90-91.

antiquités, d'architecture contemporaine, de sculpture, de gravure, de peinture surtout (dans l'été 1737, il avait fait, en plusieurs séances, une sorte de cours sur la peinture), de la théorie des arts en général. Il construit, il peint[34], il réfléchit, il théorise, mieux il cherche à chaque fois à tirer du détail ou de l'anecdote une observation de caractère général. Cela, on le retrouve dans ses communications à l'Académie[35]. On le retrouve également dans le texte du *Voyage de Naple.*

Autre constatation importante: les Académiciens de Lyon sont des hommes de culture, dont certains connaissent très bien l'Italie: c'est, avec la ville où ils vivent et où ils travaillent, leur principal centre d'intérêt, c'est, pour les arts, leur seul point de référence; en novembre 1738, Clapasson et Soufflot sont proposés comme académiciens. Clapasson travaille sur les architectures de Paris et de Lyon[36] et sans doute n'a-t-il jamais été à Rome. Mais, bientôt (1742), il va lire trois mémoires qu'il a composés sur Rome, l'un sur Saint-Pierre, l'autre sur le Gesù, le dernier sur les aqueducs antiques[37]. Quant à Soufflot — rappelons que son premier séjour d'Italie s'était situé de 1731 à 1738[38] — il est reçu à l'Académie en février 1739; en mai de cette même année, pendant deux séances, il parle, plans en mains, de Saint-Pierre de Rome, de la colonnade, des décorations intérieures; à la fin de l'année, après un discours général sur l'architecture où il opposait Blondel à Perrault, il montre à nouveau des dessins qu'il a faits des églises de Rome. C'est dans ce cadre d'une culture attentive à tout ce qui touche à l'Italie que se situe la lecture par Delamonce, en mars de l'année suivante, du « *Mémoire en forme de lettre qui constitue une description de son voyage de Naple* ».

La formule dit tout: oui, il y a bien une « description » du voyage à Naples; oui, cette description est présentée — la chose

---

[34] Cf. *supra*, n. 17.
[35] M. F. Pérez, 1977, p. 76.
[36] M. F. Pérez, *ibidem*, p. 77.
[37] Cf. M. F. Pérez, *ibidem*, p. 93.
[38] Cf. notamment *Soufflot et son temps 1780-1980*, 1980, p. 7 et 19-20.

est banale — sous la forme d'une lettre; mais c'est aussi, et sans doute surtout, un Mémoire fait pour être lu à l'Académie. Ainsi s'explique cet étrange mélange de réflexions banales, voire superficielles et de considérations savantes développant un point qui, pense-t-il, peut intéresser ses confrères.

Avant d'illustrer ce propos par quelques exemples précis, voyons comment Delamonce, en choisissant cette formule, joue *a priori* la difficulté. Oui, il adopte le genre de la lettre, dont on pense volontiers alors qu'il est celui qui s'adapte le mieux aux exigences diverses du récit de voyage. On connaît les précédents, et, sur ce point, je serai très brève, puisque le sujet a été repris récemment, notamment par H. Harder (auquel je renvoie pour les références), dans son volume sur *Le Président de Brosses et le voyage en Italie au XVIIIe siècle*, tout particulièrement dans les chapitres IV de la I^e partie et III de la IVe partie. Misson avait tenu à justifier son choix de la « Lettre de voyage » dans son *Avis au lecteur*: reprenant la formule de Guez de Balzac, il rappelait que les lettres sont des « conversations par écrit » et qu'elles peuvent donc avoir un style « concis, libre et familier ». Bref, toujours selon Misson, « le vrai lieu de peindre les coutumes d'un pays étranger, c'est, sans contredit, la lettre qu'un voyageur écrit de ce pays-là ». Seulement voilà: le propos de Delamonce, ce n'est sûrement pas de « peindre les coutumes ». Ce n'est pas ce qui l'intéresse, et ce n'est pas le but de sa « lecture » à l'Académie.

Alors, sa lettre est aussi un mémoire, où tout va entrer. On sait comment de Brosses s'efforcera de répartir ses différents sujets d'intérêt en fonction de divers correspondants « parlant avec chacun un autre langage, variant non seulement de sujet, mais de perspective, donnant ainsi relief et vivacité à son recueil » (Harder, p. 289). Mais Delamonce n'a pas cette possibilité! Ainsi s'explique la rupture de ton que l'on sent en lisant le texte: la première partie est une relation de voyage, qui doit, certes, être utile, mais aussi attrayante, tandis que la seconde partie représente vraiment le Mémoire lu devant l'Académie, où toutes les formes d'érudition sont admises, voire recommandées. Ainsi s'expliquent les deux « coupures » faites dans le mémoire pour alléger le texte et s'excuser auprès du ... destinataire de la lettre de ces longueurs ennuyeuses. Comme dira de Brosses, qui tient plus que tout à la légèreté, quand, aux Champs Phlégréens, il sentira venir des souvenirs savants sur Virgile: « Ce sont des choses qui ne peuvent entrer dans une *lettre*; tout au plus, pourraient-elles tenir dans un *journal* ... ».

Mais Delamonce n'a aucunement envie d'éliminer ses réflexions savantes ou érudites: c'est pour en disserter qu'il intervient à l'Académie. D'ailleurs, dans le récit de voyage lui-même, c'est-à-dire dans la première partie qui nous conduit de Rome à Naples, on voit déjà qu'il a un certain nombre de centres d'intérêt bien précis et que, à la différence d'autres auteurs, il ne cherche pas, quand il rencontre quelque chose qui lui paraît digne d'être noté, à être court par souci de légèreté, mais il ne signale et ne développe que ce qui l'intéresse personnellement.

Prenons maintenant quelques exemples, qui, non seulement vont éclairer notre propos, mais qui, surtout, vont montrer les intérêts réels de Delamonce: la description du théâtre de la Passion de Velletri est non seulement très importante pour nous parce que ces restes furent détruits en 1765 et que c'est, à notre connaissance, le seul texte de « voyageur » qui les décrive avec une telle précision, mais parce qu'elle montre l'intérêt de Delamonce pour les théâtres antiques et modernes (il composera un mémoire qu'il lira à l'Académie en février 1748 « sur les édifices publics pour les spectacles chez les anciens grecs et romains ») [39]. Ce qui le frappe à Velletri — et il le souligne bien dans le sommaire qu'il fait pour l'Académie — c'est que, contrairement à ce que l'on connaît en général (les gradins ou du moins les structures faites pour les porter), c'est la partie opposée, celle du « front de scène » qui est ici conservée. D'où l'intérêt particulier de cette « curiosité » qui, visiblement, a passionné Delamonce. Ainsi s'expliquent les digressions, elles aussi significatives, qu'il s'agisse des tentes qui couvraient les théâtres ou des masques qu'utilisaient les acteurs. Tout cela montre que Delamonce sait « voir » la vraie « curiosité » scientifiquement intéressante (ce « théâtre » n'est même pas signalé par

[39] Cf. M. F. Pérez, *ibidem*, p. 96.

Misson que Delamonce a entre les mains), et qu'il n'hésite pas, à son propos, à déborder sur un thème qui lui semble important.

Deuxième exemple, qui en dit encore plus long: à Terracine, il faut bien sacrifier aux usages, et décrire, comme tout le monde, le « grand rocher escarpé taillé au ciseau par les Romains » et, comme tout le monde, donner les mesures (ce goût pour les mesures, prises ou vérifiées par les voyageurs, est une chose qui aujourd'hui étonne, mais qu'on retrouve chez tous, y compris plus tard chez un Stendhal); mais, cela fait, nous voici à visiter une « curiosité » beaucoup plus intéressante, un « superbe monument ancien » dont, pendant une page, Delamonce va nous décrire la structure et la technique de construction. C'est seulement à la fin de cette page que nous apprenons que ce temple est en partie détruit et que, sur ses ruines, on a construit la cathédrale. Comme nous le rappelons en note (*ad loc.*, p. 63), un guide comme celui de Misson décrit la cathédrale et rappelle, en passant, qu'elle est construite sur les ruines d'un temple romain. La démarche de Delamonce est inverse, ce qui est très significatif, d'autant plus qu'il entre dans les détails de la technique de l'*opus incertum* et que, pour bien se faire entendre de ses confrères lyonnais, il donne un point de référence emprunté à l'architecture lyonnaise.

Passons sur Gaète: le Connétable de Bourbon dans son armoire, la « vasque » de marbre blanc avec les sculptures de Salpion (la transcription que Delamonce fait de l'inscription montre qu'il ne sait pas le grec), le Mausolée de Plancus, tout cela fait partie des récits traditionnels de tous nos voyageurs. On pourra être surpris de la brièveté des notes sur Minturne et sur Capoue: par manque de temps sans doute, on « saute » même la Capoue antique. Delamonce le signale sans montrer un regret excessif, et, après le paragraphe traditionnel sur la beauté de la Campania Felix, nous voici enfin à Naples. Nous avons vu [40] l'ordre que va suivre Delamonce, qui est celui des catégories (palais, rues, fontaines, églises . . .) et non celui de la topographie. Ce qui nous intéresse maintenant, c'est son regard, comme on dit, sur les « curiosités », les

[40] Cf. *infra*, p. 63.

« singularités » caractéristiques de cette ville trop célèbre. Et là, il faut regarder les choses de très près.

Relisons la première page de notre texte et, en même temps celui, que nous donnons en note, de Misson, qui, comme toujours, est un bon résumé des idées reçues de son temps: pour lui, la route Rome-Naples est longue, mauvaise, décevante, mais « on trouve de quoi se récompenser à Naples, au mont Vésuve et parmi toutes les raretés de Bayes et de Pouzzol et des environs »[41]. Ne revenons pas sur l'association constante de Naples et des environs, mais soulignons comment, d'emblée, Delamonce précise son sentiment, qui est l'opposé de celui de Misson: On nous a « dit tant de merveilles » de Naples, mais « je vous diray ingénûment que l'on vous a trompé par les exagérations que l'on vous a faites ». Voilà! On ne peut être plus clair, et voyons comme il va justifier son jugement.

A. Blunt a eu raison, dans l'article que nous avons cité au début de cette introduction, de chercher à établir une sorte d'inventaire chronologique des jugements portés sur Naples par les voyageurs français entre 1630 et 1780. Pendant tout le XVIIe siècle, il n'y a pas d'éloge suffisant pour la ville et ses environs. Laissons les splendeurs de la nature et restons dans la ville. Nous avons cité déjà le début du jugement de Bouchard sur les églises de Naples comparées à celles de Rome, mais donnons maintenant la fin de sa phrase: les églises de Naples « peut-estre surmontent celles de Rome en grandeur, en beauté d'architecture, en dorures et autres enrichissemens », mais surtout, continue Bouchard, « en somptuosité d'ornemens, d'argenterie et de tentures, la plus part estant toutes tendues de ces grands *coltre*, ou poiles funéraus de velours ou drap d'or, tous couverts de broderie d'or »[42]. L'argent, l'or, les ornements somptueux, tout cela apparaît comme superbe et magnifique.

Notons que Bouchard est beaucoup plus élogieux pour les églises que pour les palais: en ce qui concerne ces derniers, il ne décrit vraiment que le Palais Royal et le « Palais des Écoles »;

[41] Misson, II, p. 61-62.
[42] Bouchard, II, p. 251-252.

19

les autres sont soit inachevés — et les jugements de tous nos voyageurs sur les façades jamais finies des bâtiments de Naples doivent être relus à la lumière des réflexions de G. Labrot sur ce rapport, étrange et caractéristique, qui existe entre le portail, qui est essentiel parce qu'il crée la différence, et la façade, qui ne compte pas [43] —, soit à moitié ruinés, soit plus intéressants « pour les peintures ou les anticailles que pour leur structure ». Il cite souvent Capaccio, sans pour autant reprendre à son compte le jugement sévère de cet ancien « Segretario della città », qui connaissait bien sa ville et qui n'hésitait pas à dire qu'il y manquait « la bellezza de gli edifici ». Jugeons-en: « A confronto di quelli di Roma, di Fiorenza, di Genova, di Venetia che sono magnifici, bene architetturati, con una scenografia che v'innammora, che pasce gli occhi et in uno splendore di nobiltà fan conoscere la grandezza di chi vi habita, Napoli sente mancanza di questo... Se non fusse che sta posta sotto cielo così chiaro con l'aura del mare coi tetti la maggior parte scoverti al sole che non fan vista malinconica come fan le tegole, non sarebbe da stimarsi quanto a gli edifici » [44]. Ce n'est pas d'au-

---

[43] Cf. G. Labrot: « Non importa che la facciata sia priva di interesse, piatta e nuda, in quanto è il portale che conta... perché esso è l'immagine altamente simbolica della *differenza* » (p. 74).

[44] G. C. Capaccio, *Il Forastiero*, 1634, p. 851. G. Galasso, qui cite et commente ce texte dans l'importante préface qu'il a faite au livre de G. Labrot, le rapproche du jugement de Galanti sur l'architecture à Naples: on sait que le *Napoli e dintorni* de G. M. Galanti ne fut publié qu'en 1829, mais qu'il est antérieur à 1790. Ce qui est frappant, c'est de voir à quel point le jugement de Galanti est identique à celui des voyageurs étrangers, français notamment, qui, à partir des années 1720 (cf. *infra*, p. 26-27), critiquent le luxe et la richesse excessive des monuments napolitains. Certaines phrases de Galanti rappellent étrangement, jusque dans la forme, l'opinion que Delamonce avait été l'un des tout premiers à exprimer: « Moltissimi sono i palazzi edificati con magnificenza, se non sempre con gusto, ed ornati da tutte le arti del lusso... Napoli non ha edifizii pubblici, di numero e di bellezza corrispondenti alla sua opulenza e grandezza... Le chiese sono stracariche di marmi, di pitture e di altri ornati, ma pochissime hanno quella maestosa semplicità tanto conveniente a tempî, ne' quali l'architettura dovrebbe spiegare la sua maggiore sublimità » (cité per G. Galasso, dans G. Labrot, p. 8-9).

jourd'hui que le jugement des Napolitains sur leur ville comme sur eux-mêmes manque d'indulgence . . .

L'enthousiasme de Bouchard sur les églises, nous le retrouvons chez Misson: « Si l'on veut voir de beaux morceaux d'architecture, il faut visiter les églises, il faut voir les portails, les chapelles, les autels, les tombeaux. Si l'on veut voir de rares peintures, de la sculpture et des charretées de vaisseaux d'or et d'argent, il ne faut qu'entrer dans les églises. Les voûtes, les lambris, les murailles, tout est revêtu de marbre précieux et artistement rapporté, ou à compartimens de bas-reliefs, et de menuiserie dorée et enrichie des ouvrages des plus fameux des peintres. On ne voit partout que jaspe, que porphyre, que mosaïque de toutes façons, que chefs-d'œuvre de l'art. J'ai visité vingt-cinq ou trente de ces superbes édifices: on s'y trouve toujours nouvellement surpris. S'il était possible d'en unir huit ou dix ensemble et d'en faire un composé qui eût de la régularité, je me représente cela comme la chose du monde la plus magnifique » [45].

Citons encore un autre voyageur du temps qui, lui aussi, avait admiré Naples pour ses richesses et sa splendeur: une dizaine d'années seulement avant le voyage de Delamonce, paraissaient, d'abord en Hollande (1706), puis à Paris (1707) les volumes intitulés *Les délices de l'Italie*, « œuvre du Sieur de Rogissart »; le sous-titre montrait que l'auteur avait vu grand: « Description exacte du Païs, des principales villes, de toutes les Antiquitez et lez raretez qui s'y trouvent; ouvrage enrichi d'un très grand nombre de figures en taille douce ». Dans les quatre volumes de l'édition française, le tome II était consacré à Rome (p. 277-416), à la route de Rome à Naples (p. 416-440) et enfin à Naples (p. 440-544). Suivaient dans le tome III le Vésuve et les environs de Naples. Le livre connut plusieurs éditions et fut traduit en allemand. Disons tout de suite que, au moins à en juger par Naples, on comprend mieux l'oubli (peut-être excessif) dans lequel l'ouvrage est tombé aujourd'hui (Blunt ne l'utilise pas, alors qu'il illustre mieux que quiconque sa thèse) que l'intérêt qu'il suscita, voire la relative popularité qu'il connut alors.

[45] Misson, II, p. 90-91.

21

L'intention du livre et ses dimensions en font tout autre chose que le *Voyage de Naple* de Delamonce: l'auteur voudrait tout dire sur l'histoire des villes et sur leurs curiosités. De fait, pour Naples, il commence par l'histoire de la cité, continue par la description du site, des fortifications, du port puis il s'attache surtout à établir une liste plus ou moins détaillée des églises (pp. 461-540), avant de terminer par les « édifices profanes », palais et fontaines. Visiblement, même s'il cite en passant quelques noms d'artistes, il ne s'entend ni de peinture, ni de sculpture et encore moins d'architecture! Ce qu'il veut, c'est signaler ce qui est beau et alors, voici pour Naples un véritable festival d'adjectifs et de superlatifs: non seulement le site est plein de charmes et d'agrément et les faubourgs magnifiques (p. 446), mais surtout les églises « étonnent et enchantent . . . Là, tout n'est qu'or, argent et pierres précieuses » (p. 461). Limitons-nous à deux exemples. Le Gesù nuovo d'abord (p. 491): « C'est un des plus beaux et des plus superbes bâtimens de toute l'Italie; le dessein en est merveilleux et l'architecture admirable; les colonnes qui la soutiennent sont revêtues de porphyre et de marbre très fin. Toutes les chapelles, quoique merveilleuses, ne sont presque rien en comparaison du grand autel et de celui de St. Ignace et de St. François Xavier, qui sont d'un marbre tout à fait riche et d'une architecture qui n'a peut-être pas sa pareille . . . Enfin, c'est une église où l'or reluit de toute part; la sphère sur laquelle on pose le Saint Sacrement est toute relevée de diamans et d'autres pierres précieuses d'un prix inestimable. Nous ne dirons rien de la richesse et de la magnificence des ornemens d'autels et des autres choses, cela passe l'imagination: l'or et l'argent qui est dans la sacristie est estimé se monter à la valeur de cent cinquante mille ducats ». Voici maintenant une partie de l'église de San Martino: « il y a dans le chœur un tableau qui représente la Nativité de J. C. qui passe pour une merveille; il a coûté cinq mille ducats et on en a offert aux religieux douze mille; mais comme ils sont très riches et qu'ils ont bien dépensé jusqu'à cinq cent mille ducats en peinture, sculpture et argenterie, ils n'ont pas accepté l'offre. On ne se peut rien imaginer de comparable au grand autel, tant pour sa beauté que pour sa somptuosité et ses richesses presque incroyables » (p. 536). À lire ces pages où

22

resplendissent les ors et où on compte les ducats, on comprend la réaction de la génération suivante, qui n'aimera pas ces décorations trop chargées, pour lesquelles, hélas, l'excès de dépenses a nui à la beauté.

Ce qu'avaient admiré et vanté ces auteurs précédents, c'était la « magnificence »! . . . La grandeur, la richesse, la somptuosité, tout cela, dans le fond, même si on ne le disait pas, apparaissait comme étant dans la tradition de Rome: « magnificence », d'ailleurs, est le mot dont useront plus tard systématiquement les auteurs du XVIIIᵉ siècle pour définir la civilisation romaine; sans doute n'est-ce pas tellement forcer la pensée de ces visiteurs de Naples du XVIIᵉ siècle que d'affirmer que, dans leur esprit, les architectures modernes de la ville représentent la vraie continuité par rapport aux créations de la Rome antique. Dans un temps où les problèmes sociaux ne sont pas les préoccupations premières de nos voyageurs, Naples apparaît comme une ville riche. Riche est la campagne, la Campanie heureuse, avec sa luxuriance de végétations et ses superpositions de cultures qui étonnent et que l'on oppose, que dis-je, qui s'opposent d'elles-mêmes à la pauvreté et à l'abandon de la campagne romaine. Riches sont ses palais, riches sont ses églises avec leurs marbres précieux et leurs extraordinaires décorations.

Oui, mais . . . Avant d'analyser les réserves de Delamonce, un mot sur cette « régularité » dont parlait Misson dans la citation précédente. C'est un concept dont usent spécialement les voyageurs français, qui insistent sur l'aspect « irrégulier » des églises: non seulement le contraste choque entre les façades jamais finies et les intérieurs trop policés, mais dans ces intérieurs mêmes, manquent, trop souvent, la cohérence et l'unité entre les divers éléments de la décoration. C'est pourquoi Delamonce, qui partage ce sentiment, cite avec un peu d'étonnement, S. Giovanni in Carbonara comme une église où « le tout ensemble compose une décoration régulière, qui n'est guère commune dans cette ville » [46]. Mais attention: ce que souhaitait Misson, ou mieux ce dont il rêvait, c'était d'une église qui, avec régularité, regrouperait tous ces éléments somptueux, et

---

[46] Cf. *infra*, p. 125.

eux seuls, qui soit, si l'on peut dire, un véritable « concentré » de richesse et de somptuosité.

Là, nous sommes loin de Delamonce: laissons ce qu'il dit des palais (par où il faut bien commencer l'évocation des architectures), puisque les plus importants (Palais Royal, Palais des Études) ne sont pas l'œuvre d'architectes napolitains, mais du romain Domenico Fontana. On voit d'ailleurs qu'il n'y a pas là un sujet qui l'intéresse. En effet, s'agissant du Palais Royal, il ne dit pas un mot de l'escalier intérieur dont Montesquieu, qui, on le sait et nous y reviendrons bientôt, n'avait pas toutes les tendresses pour Naples, dit que c'est « le plus beau de l'Europe » [47]. En revanche, dès qu'il aborde le chapitre des églises, il précise son sentiment d'ensemble: non seulement beaucoup de façades ne sont pas terminées, mais leur intérieur « est d'une magnificence surprenante, quoique la plus grande partie soit de très mauvais goût, parce qu'elles sont remplies ou plutôt chargées de marqueteries en marbre d'un prodigieux travail, et souvent même enrichies de bronze doré à feu. Tous ces superbes collifichets y sont prodiguez jusqu'au pavez et aux apuys des balustrades, en sorte qu'ils causent partout une confusion qui choque étrangement les yeux des connoisseurs » [48]. On ne saurait mieux résumer la « thèse » de Delamonce, qu'il va, avec des exceptions et des nuances, développer, exemples à l'appui, au cours des pages suivantes; tous les mots sont significatifs de sa pensée: « très mauvais goût . . . », « remplies ou plutôt chargées de marqueterie en marbre . . . », « superbes collifichets prodiguez . . . », « causent une confusion qui choque étrangement les yeux des connoisseurs ». Et si, comme preuve de sa bonne foi, il commence par une église qui est, d'une certaine manière, une exception à cette règle générale, aussitôt après sa description de la chapelle de Saint-Janvier et de la Cathédrale, il évoque la « Guglia » de Saint-Janvier et ce « riche monument . . . tout de marbre, exécuté avec un grand travail et à grands fraix » va lui permettre de préciser sa pensée: « il ne mérite

---

[47] Montesquieu, *Œuvres complètes*, I, éd., Pléiade, 1949, p. 722; ce texte célèbre est cité en note, *ad loc.*, p. 80, n. 40.

[48] Cf. *infra*, p. 96-97.

pas l'estime des connoisseurs, le dessein en étant très mauvais et chargé de trop grand nombre de collifichets. L'on peut dire que le chevalier Cosimo Fonsago, qui en a été l'auteur, a infecté cette ville par toutes ces ridicules productions qui éblouissaient un peuple ignorant et auxquelles une infinité d'étrangers peu initiez dans le bon goût se laissent encore surprendre » [49]. L'idée est la même, et Delamonce oppose le goût des « connoisseurs » à l'ignorance du peuple ou de certains étrangers qui se laissent encore éblouir par ces « colifichets »: et ce disant, Delamonce pense aux voyageurs ou aux guides précédents et, entre autres, c'est trop clair, à Misson dont il a dit plus haut, à propos de la « vasque de Bacchus » qu'il avait vue à Gaète où elle se trouvait alors, qu'il « avait plus de littérature que de discernement dans les beaux-arts » [50].

Tout au long de sa description des principales églises, Delamonce va appliquer les critères qui sont les siens. Limitons-nous pour le moment aux architectures: ce qu'il faut d'abord, c'est un « bon dessein » ou un « bon parti », c'est-à-dire, comme il le précise bien à propos de la chapelle Filomarino de l'église des Saints-Apôtres, de la « régularité dans le dessein » [51]. Delamonce le souligne d'autant plus que Borromini, qui en est l'auteur, ne nous a pas habitués à tant de rigueur! Le discours est le même, en plus intéressant peut-être encore, pour l'église de la Chartreuse dont on connaît « l'extrême magnificence » [52]: celle-ci « est soutenue par la régularité de son architecte [sic], ce qui donne un nouveau [...] à la richesse de ses embellissements ». Ce passage, on le voit, est écrit vite: « architecte » est mis pour architecture, et, après « nouveau », à la fin de la ligne, il manque le substantif, qui aurait été très important pour nous aider à préciser la pensée de Delamonce. On comprend bien de toute façon ce qu'il veut dire: la régularité de l'architecture compense d'une certaine manière l'excès de la décoration, et même lui donne un aspect ou un caractère nouveau.

[49] Cf. *infra*, p. 105.
[50] Cf. *infra*, p. 67-68.
[51] Cf. *infra*, p. 116.
[52] Cf. *infra*, p. 150.

25

Mais cela est exceptionnel: d'une manière générale, cette profusion de richesses qu'aimaient un Misson et les voyageurs précédents, c'est, pour Delamonce, l'aspect le plus négatif parfois insupportable, du baroque napolitain. Limitons-nous à quelques exemples: l'église des Saints-Apôtres, outre la belle chapelle Filomarino, « renferme un tabernacle qui est des plus superbes, étant composé de marbre des plus prétieux et même de pierreries fines, telles qu'émeraudes, de topazes, d'amétistes etc. . . . , mais les connoisseurs ont le déplaisir d'avouer que l'art n'a aucune part dans un si riche ouvrage » [53]. On voit que, dans cette phrase, l'adjectif superbe est, en fait, à mettre entre guillemets, car il rapporte ainsi, comme le ferait l'italien en ajoutant un « cosiddetto », le jugement général que l'on donne, par opposition à l'avis des « connoisseurs ».

On trouve exactement la même expression à propos des chapelles du Gesù Nuovo: « malheureusement, tous ces superbes ouvrages, construits à grands fraix, sont décorez d'un très mauvais goût . . . » [54] ou à propos de la Guglia di San Domenico: « une piramide superbe . . . toute construite de marbre et qui n'est pas d'un meilleur dessein que celle de Saint-Janvier, quoique très différente, et où la dépence a été aussi mal employée » [55].

Comme l'a bien souligné A. Blunt, Delamonce est le premier « voyageur » français à introduire, s'agissant de Naples, la notion de « bon goût » et de « mauvais goût »: Caylus, dans son voyage d'Italie fait en 1714-1715 (récit qui ne sera publié qu'au début du XXᵉ siècle), est bien passé par Naples, et il est vrai que son appréciation sur le baroque napolitain était beaucoup moins enthousiaste que celle d'un Misson. Mais, il s'est surtout intéressé à la peinture (il parle avec enthousiasme de Ribera et de Solimène) et, en tout cas, il ne montre pas cette constante référence au « bon goût » qui apparaît chez Delamonce.

On sait que c'est juste dix ans après Delamonce que Montesquieu vint visiter Naples. Avant de rappeler ses phrases à l'emporte-

---

[53] Cf. *infra*, p. 116.
[54] Cf. *infra*, p. 112.
[55] Cf. *infra*, p. 131.

pièce, aujourd'hui célèbres, n'oublions pas que les textes de ses voyages ne furent pas publiés avant la fin du XIXe siècle. Donc Delamonce lisant sa communication à l'Académie ne pouvait pas davantage connaître le voyage au Royaume de Naples que le récit du séjour de Caylus. Rappelons les deux phrases les plus fameuses de Montesquieu sur Naples: « Il me semble que ceux qui cherchent les beaux ouvrages de l'art ne doivent pas quitter Rome. À Naples, il me paraît qu'il, est plus facile de se gâter le goût que de se le former » [56]. Et plus loin: « On peut voir Naples dans deux minutes. Il faut six mois pour voir Rome » [57]. Mais, dans ses notes brèves et nerveuses, où les passages les plus longs sont consacrés aux environs de Naples (les Champs Phlégréens, Capri), Montesquieu justifie son jugement: les architectures acceptables, voire belles, sont le Palais Royal et le Palais des Études, c'est-à-dire celles qui n'ont pas été construites par des Napolitains, mais par le romain Fontana. Quant aux Napolitains, ils « aiment fort la multiplicité des ornements; ils en accablent leur architecture; ce qui fait que leurs églises sont infiniment riches et de mauvais goût » [58]. C'est exactement, presque mot pour mot, le jugement de Delamonce. On voit la forme nouvelle de l'opposition entre Rome « la plus belle ville du monde; si les arts étaient perdus, on les retrouverait dans Rome » [59] et Naples, où il est facile « de se gâter le goût ». Toujours « le goût » qui est le critère fondamental!

Novembre 1739: le Président de Brosses visite Naples. Dans l'édition actuelle des *Lettres familières sur l'Italie*, il y a un « mémoire sur Naples » daté du 14 novembre à Naples (lettre XXX) et, datée de quinze jours plus tard, la lettre XXXI [60]. On connaît

---

[56] Montesquieu, *op. cit.*, p. 719.
[57] Montesquieu, *ibidem*, p. 736.
[58] Montesquieu, *ibidem*, p. 721.
[59] Montesquieu, *ibidem*, p. 720.
[60] De Brosses, *Lettres familières sur l'Italie*, éd. Y. Bézard, Paris, 1931, I, p. 408-435. Par ailleurs, la lettre XXXII est consacrée aux environs de Naples, la lettre XXXIII à Herculanum, la lettre XXXIV au Vésuve et la XXXV est un mémoire pour l'Académie des Inscriptions et Belles-Lettres toujours sur Herculanum. Le Centre Jean Bérard va publier sous peu une nouvelle édition du

l'esprit volontiers acariâtre et la plume alerte du Président bourgui-
gnon: rappelons-le tout de suite; Naples, selon de Brosses, présente
des aspects qui étonnent, certains qui séduisent, mais, d'entrée de
jeu, il précise lui aussi son jugement global: « Naples mérite plus
par ses accessoires que par elle-même. Sa situation est ce qu'il y a
de plus beau, quoique inférieure ... à celle de Gênes. Il n'y a
pas un beau morceau d'architecture; des fontaines mesquines; des
rues droites à la vérité, mais étroites et sales; des églises fort vantées
et peu vantables, ornées sans goût et riches sans agrément » [61]; et,
dans la lettre XXXI, après une évocation plutôt enthousiaste de la
baie de Naples, que « l'on vante beaucoup et avec raison », il écrit:
« Mais je ne puis souscrire de même aux éloges merveilleux que
Misson et autres voyageurs donnent aux édifices publics et à la ville
en général. S'ils veulent louer les églises pour leur grand nombre et
les richesses immenses qui y sont prodiguées, j'en suis d'accord;
pour le goût et l'architecture, c'est autre chose; l'un et l'autre sont,
à mon gré, la plupart du temps assez mauvais, soit qu'ils le soient
en effet, comme je le crois, ou que, comme on juge de tout par
relation, j'aie les yeux trop gâtés par les véritables beautés des
édifices de Rome. Les dômes sont oblongs, de vilaine forme, sans
lanterne au-dessus, les tremblements de terre les ayant renversés,
en un mot de vrais Sodômes (sots dômes) » [62]. Laissons le jeu de mot
final, d'un goût, pour parler comme de Brosses lui-même, plutôt
discutable, mais, en peu de mots, tout y est: la comparaison avec
Rome, « le grand nombre et les richesses immenses des églises »,
et « le goût et l'architecture ... la plupart du temps assez mauvais ».
C'est exactement ce que, six mois plus tard, Delamonce va dire à
ses confrères de Lyon.

J'ai rappelé plus haut la présence, dès 1738, de Soufflot dans
les rangs de l'Académie de Lyon. Il faut lire, dans la troisième
partie du volume collectif publié par l'équipe de l'Institut d'Histoire

Voyage d'Italie du Président de Brosses, *Voyage d'Italie*, édition critique et
notes (sur les manuscrits revus et corrigés par l'auteur) par L. Cagiano de Azevedo et G. Cafasso).

[61] De Brosses, *Lettre XXX*, p. 408.
[62] De Brosses, *Lettre XXXI*, p. 413-414.

de l'Art de l'Université de Lyon 2 sous la direction de D. Ternois et de M. F. Pérez, les textes des discours qu'il a prononcés à l'Académie. Octobre 1739: dans le *Mémoire sur les proportions de l'architecture* où il examine les arguments avancés de part et d'autre dans la querelle entre Blondel et Perrault (cf. *infra*, p. 33-34), il prend l'exemple de deux églises romaines, Sant'Andrea della Valle et San Carlo: « La première passe pour la plus belle de Rome, quoyque la plus dépourvue d'ornemens ... Celle de San Carlo est infiniment plus ornée ... ; les sculptures, les dorures, les peintures, rien n'y est épargné; cependant elle plaît moins et d'autres dans Rome beaucoup plus ornées que celle-là ne plaisent point du tout aux gens de goût et sont regardées comme ces hommes chargez de dorures, de broderie etc. qui ne servent souvent qu'à rendre plus sensibles les deffauts de leurs corps » (p. 185-186). Septembre 1744: dans le *Mémoire pour servir de solution à cette question, sçavoir si dans l'art de l'architecture le goût est préférable à la science des règles ou la science des règles au goût*, Soufflot s'efforce de définir ce qu'est le bon goût, en l'opposant à « l'autre »: « Il est encore une chose à laquelle pour le malheur de notre siècle on ne donne que trop le nom de goût: je parle de cet enfant de notre amour pour la nouveauté, enfant monstrueux dont les ouvrages ne furent de tout temps que trop funestes aux arts. Ses extravagantes productions ne luy paroissent belles qu'autant qu'elles s'éloignent de la nature ... Rien n'est beau à son gré s'il n'est de travers. Cette sage et riche simplicité, ces proportions si estimées auxquelles les bâtimens étaient autrefois redevables de leur beauté, cette belle exécution qui frapoit nécessairement, il les méprise dans un édifice qui n'est pas chargé de tous les colifichets qu'autrefois on n'osoit à peine hazarder dans les boisages ... Ces colifichets même ne luy plaisent pas s'ils conservent quelque chose de cette symétrie qu'il méprise souverainement; rien n'est beau s'il est raisonné, rien n'est admirable si on peut l'admirer » (p. 201); et, avant de terminer par la célèbre citation de Vitruve sur l'égale nécessité de l'étude et du génie, Soufflot affirme avec une tranquille conviction: « Ce qui étoit beau il y a deux mille ans l'est encore ... Au contraire, ces bizarres ornemens admirez aujourd'hui seront méprisez aussitôt qu'on en produira de nouveaux qui, bientôt après, essuieront le même sort . . . Le vrai beau en architecture n'est point un assemblage bizarre d'ornemens, de parties extrêmement riches et extraordinaires, c'est une parfaite disposition des parties les plus communes » (p. 202). Jusque dans le vocabulaire, on retrouve une concordance parfaite et une totale identité de vues avec Delamonce.

Revenons à Naples et à nos voyageurs. Avec les exemples précédents, nous sommes arrivés, grosso modo, aux années 1740. Comme le titre de son article l'indique clairement, A. Blunt continue son analyse des textes des voyageurs français sur Naples jusqu'en 1780. Nous nous arrêterons, nous, en revanche, en 1740, laissant de côté les « guides » célèbres de l'Abbé Richard, de Lalande, le *Voyage Pittoresque* de Saint-Non et aussi les pages importantes de Sade, publiées en 1967 et que Blunt ne connaissait pas [63]. Citons cependant deux textes, significatifs l'un et l'autre pour des raisons différentes: en 1758, paraît le *Voyage d'Italie* de Cochin [64]; comme le sous-titre l'indique, ces « notes » sont surtout consacrées à la peinture et à la sculpture; mais, on le sait, ce voyage avait été effectué dans une occasion et avec des intentions tout à fait particulières: c'est en 1750 qu'une équipe composée de Cochin, Soufflot et l'abbé Le Blanc était partie pour l'Italie pour accompagner le futur Monsieur de Marigny, frère de la Pompadour, pour parfaire ses connaissances et son goût et lui permettre d'exercer au mieux ses fonctions de Directeur général des bâtiments du roi. D'où l'importance particulière que revêtait dans ces circonstances la notion de « bon goût ». Or, voici le jugement de Cochin sur l'architecture de Naples, où l'on retrouve exactement ceux de Delamonce, Montesquieu et de Brosses: « le goût moderne de l'architecture à Naples est fort mauvais; les ornements de la plupart des chambranles extérieurs des fenêtres sont tout à fait ridicules. On bâtit dans cette ville avec beaucoup de

---

[63] Sade, *Voyage d'Italie, précédé des premières œuvres et suivi des Opuscules sur le théâtre*, publié pour la première fois sur les manuscrits autographes inédits par G. Lély et G. Daumas, Tchou, Paris, 1967. Le voyage, on le sait, eut lieu de juillet 1775 à juin 1776 (séjour à Naples: janvier-mai 1776).

[64] Ch. N. Cochin, *Voyage d'Italie, ou recueil de notes sur les ouvrages de peinture et de sculpture qu'on voit dans les principales villes d'Italie*, 1758.

dépense des aiguilles ou pyramides, toutes revêtues de marbre, mais de la plus mauvaise forme, du plus méchant goût et assommées de mauvaise sculpture. Il en coûterait beaucoup moins pour les faire belles, et d'un goût sage et simple » [65].

La beauté, c'est le goût sage et simple; voilà ce qu'ignorent les architectes napolitains et, de même que les voyageurs de la génération précédente ne « sauvaient » à Naples que les palais de l'architecte romain Fontana (le Palais Royal et le Palais des Études), Cochin ne trouve acceptable que le palais, en cours de construction, de Capodimonte. Comment est-ce possible? C'est parce que c'est un Romain, Vanvitelli, qui en est l'architecte [66]!

Citons, pour finir ces notes rapides sur l'architecture napolitaine vue par les Français, le jugement de Saint-Non dans le *Voyage Pittoresque*. Nous sommes, répétons-le, hors de l'arc du temps qui est le nôtre, puisque le Voyage paraît de 1781 à 1785. Mais, pour les raisons que l'on sait, il représente une étape fondamentale dans le Voyage d'Italie du XVIIIe siècle; or, ce qui est caractéristique, c'est que Saint-Non, qui publie un certain nombre d'« images » de palais ou d'églises baroques avec des commentaires de détail qui sont loin d'être tous critiques, se doit d'émettre, comme tout le monde, un jugement global très négatif sur l'architecture à Naples: « Il n'y a pas à Naples une église qui ait un beau portail... Il n'y a pas au reste un beau palais... L'histoire de l'architecture à Naples sera donc bien courte, puisque tout ce que l'on peut dire de plus en sa faveur, c'est qu'il n'y en a pas » [67]. Voilà le jugement de la fin du siècle, et c'est celui qui, depuis les années 1720, celles du voyage de Delamonce, s'est imposé en s'opposant totalement au lyrisme enthousiaste et, il faut bien le dire, un peu naïf, du siècle précédent.

Tout cela, A. Blunt déjà l'avait bien vu et bien dit: l'architecture de Naples est un des meilleurs révélateurs qui soit pour juger de l'évolution du « goût » des voyageurs, français notamment,

---

[65] Ch. N. Cochin, *ibidem*, p. 195.
[66] Ch. N. Cochin, *ibidem*, p. 196.
[67] Saint-Non, *Voyage Pittoresque de Naples et de Sicile*, I, p. 69-70.

entre la première moitié du XVIIe siècle et la seconde moitié du Siècle des Lumières. Mais de quelle architecture napolitaine parle-t-on? La réponse est claire. On notera, en lisant le texte de Delamonce, que, pratiquement, entre l'antiquité et les réalisations de l'art contemporain (architecture et peinture), rien ne l'intéresse, du moins, il ne note rien: pas un mot sur les catacombes, pas un mot sur le Moyen Âge ou sur la Renaissance: comme chez presque tous les voyageurs, on trouve seulement l'opposition du mauvais ciseau gothique [68] avec le caractère exceptionnel ou sublime du ciseau grec [69]. C'est tout et c'est peu.

Sans doute toute la période qui va de l'antiquité tardive au début du XVIIe siècle n'est-elle pas l'époque où fleurissent le plus les arts à Naples. Mais tout de même cela n'explique pas tout. Il y a, au vrai, deux raisons plus profondes: l'une, fondamentale, est que les intérêts de l'époque ne vont pas vers ces « périodes obscu-

[68] C'est avec ce terme que Delamonce « expédie » les lions qui servent de base au vase de Salpion qu'il avait vu à Gaète (cf. p. 68, n. 24). Le gothique et le grec, c'est l'opposition entre « les bas temps » et le Moyen Âge d'une part et l'antique de l'autre. On rappellera ici le chapitre intitulé « De la manière gothique » par lequel se terminent les Voyages de Montesquieu (éd. Pléiade, p. 966-972) et où il explique que, selon lui, « la manière gothique » n'a rien à voir avec les Goths: « C'est la manière de la naissance ou de la fin de l'art, et nous voyons dans les monuments qui nous restent que le goût gothique régnoit dans l'empire romain bien longtemps avant les inondations des Goths » (p. 966).

[69] L'expression est employée par exemple pour la statue du Nil (cf. p. 87, n. 43), pour la statue de Mercure (*infra*, p. 88, n. 44) ou pour le vase de Salpion (cf. p. 67, n. 23). Le ciseau grec, c'est celui de la belle antiquité, simple et gracieuse. Là encore, on ne peut pas ne pas songer à Montesquieu dans « l'essai sur le goût » (éd. Pléiade, p. 1016-1025) qui contient « des idées qui n'ont pu entrer dans Le Goût et les Ouvrages d'Esprit » et où il écrit: « J'avoue qu'une des choses qui m'a le plus charmé dans les ouvrages des Anciens, c'est qu'ils attrappent en même temps le grand et le simple; au lieu qu'il arrive presque toujours que nos modernes en cherchant le grand, perdent le simple ou, en cherchant le simple, perdent le grand. Je vous prie de voir la plupart des ouvrages des Italiens ou des Espagnols. S'ils donnent dans le grand, ils outrent la nature, au lieu de la peindre. S'ils donnent dans le simple, on voit bien qu'il ne s'est pas présenté à eux, mais qu'ils l'ont recherché, et qu'ils n'ont tant d'esprit que parce qu'ils manquent de génie » (p. 1020-1021).

res » qu'on oppose à la grandeur et à la magnificence de l'antiquité, l'autre, c'est que, selon Delamonce, ce n'est pas son « sujet ». Ce dont il parle, ce qu'il juge, c'est l'architecture de son temps.

Avant d'en arriver à la dernière partie de cette introduction, où nous examinerons rapidement les réactions de Delamonce devant la peinture napolitaine, qui est, là encore, celle de son temps, quelques remarques sur son attitude devant « les antiquités », mieux devant l'antiquité. Ne revenons pas ici sur le fond du débat: il est clair que, sans être ni se vouloir « antiquaire », Delamonce s'intéresse aux « antiquités » qu'il peut voir ici ou là; qu'il s'agisse d'inscriptions, de la vasque de marbre de Salpion, de la statue qu'il appelle « statue de Mercure », « production des plus sublimes d'un sculpteur grec de premier ordre » [70] qui se trouve dans la cour du Palais Carafa, il regarde, il admire et il note. C'est vrai, et pourtant! ... À part les phrases conventionnelles sur le ciseau grec, le seul domaine qui l'intéresse vraiment, c'est l'architecture de l'antiquité.

À le relire avec attention, il apparaît que, dans ce domaine, le « Mémoire » de Delamonce reflète parfaitement ce qu'a été, une cinquantaine d'années plus tôt, la fameuse « Querelle des Anciens et des Modernes ». Le débat est trop connu pour qu'on y insiste ici: personne ne discutait, dans les années 1660-1680, l'importance fondamentale de l'enseignement des anciens dans le domaine de l'architecture, même si, suivant la formule de P. de Nolhac, « les tenants des deux partis montraient la même connaissance parfaite de la littérature des anciens, la même ignorance de leurs monuments » [71]: le problème était de savoir le rapport qu'il fallait établir entre l'imitation et la création. Il faut, de toute façon, connaître ce qu'ont fait les anciens et nous avons vu, en analysant le texte de Delamonce, l'intérêt tout particulier qu'il porte au théâtre de Velletri, au temple de Gaète, ou au temple de Castor et Pollux à

---

[70] Cf. *infra*, p. 88.

[71] P. de Nolhac, *Peintres français en Italie*, 1954, p. 13. Sur la fameuse Querelle des Anciens et des Modernes et notamment sur la position des deux frères Perrault, cf. la bonne synthèse de R. Pomeau, dans *Littérature française, L'Age classique*, III, 1680-1720, Arthaud, Paris, 1971, p. 74-86.

Naples. Soit! Mais, dans la fameuse querelle entre Blondel et Perrault, quand celui-là reprochait à celui-ci d'avoir accouplé les colonnes, Perrault répondait: « L'objection principale sur laquelle on insiste le plus est fondée sur un préjugé et sur la fausse supposition
qu'il n'est jamais permis de s'éloigner des usages des anciens » [72].
Et plus loin: « On accuse quiconque ne suit pas leur manière de
tomber dans la licence, mais n'y a-t-il pas plus d'inconvéniens à
fermer la porte aux belles inventions qu'à l'ouvrir à celles qui,
étant ridicules, se détruiront d'elles-mêmes » [73]. Et encore: « Je
veux que l'esprit des anciens nous inspire, mais je ne veux pas que
nous prenions le leur; je veux qu'ils m'apprennent à bien penser,
mais je n'aime pas me servir de leurs pensées » [74].

C'est ce que dit Delamonce: « Pourquoi au lieu d'admirer
leurs ouvrages [ceux des anciens] les adorer? C'est ainsi que s'exprime la prédilection outrée qu'ont tant de personnes qui supposent
leurs ouvrages absolument parfaits et incomparables » [75]: on retrouve
là évidemment un écho direct du célèbre poème de Charles Perrault, *Le Siècle de Louis le Grand*, celui-là même qu'il avait lu en
janvier 1687 devant l'Académie française réunie pour féliciter le roi
de sa guérison et qui, en fait, avait déclenché la Querelle des Anciens
et des Modernes. Or, voici qui donne le ton de ce que pensait
Ch. Perrault, et avec lui, les Modernes:

La belle Antiquité fut toujours vénérable
Mais je ne crus jamais qu'elle fût adorable.

---

[72] Cl. Perrault, cité par L. Hautecœur, *Histoire de l'architecture classique
en France*, II, *Le règne de Louis XIV*, 1948, p. 488.

[73] Cl. Perrault, *ibidem*, p. 488-489.

[74] Cl. Perrault, *ibidem*, p. 490.

[75] Cf. *infra*, p. 136 et n. 76. Ce que Delamonce pense pour l'architecture,
il n'hésitera pas à le dire, plus tard, et avec force, pour la peinture: quand,
en 1753, il comparera les mérites respectifs des peintres italiens et des peintres français, après avoir vanté les mérites exceptionnels de Poussin « doué
d'un heureux génie poétique dans l'invention et dans le dessein », il ajoutera:
mais, « s'étant livré dans la suite et sans réserve à l'imitation servile des
statues et bas-reliefs antiques, il dégénéra dans la roideur des membres et
des corps et dans une froideur de tous les objets animez » (publié par M. F.
Pérez, 1981, p. 493).

34

Rappelons-nous que cette fameuse Querelle, que l'on crut à plusieurs reprises apaisée, resta actuelle, et vive, pendant une bonne partie du XVIIIe siècle.

Cependant, soulignons tout de suite que Delamonce entend limiter « sa réflexion à la seule architecture » c'est-à-dire qu'il ne veut pas entrer dans le débat sur l'évolution inévitable de l'homme et de la nature, donc de l'art qui n'est rien d'autre qu'une imitation de la nature, dans ce vieux débat qui était au fond de la Querelle. Non, il ne se lancera pas dans ces grandes spéculations et il se limitera à une réflexion sur la richesse et la plénitude des formes; l'architecture antique repose sur un nombre plus que limité de structures simples, dont la composition, en fin de compte, est « bornée ». À cette « stérilité d'idées » [76] (la formule est forte) s'oppose la « fertilité et le génie » des compositions des architectes modernes, étant entendu qu'on ne parle ici que des « compositions régulières » (toujours le même mot), en laissant de côté les « desseins bizares et capricieux ».

On voit ainsi clairement la position de Delamonce: évitons les colifichets, les caprices, qui ne sont rien d'autre que mauvais goût et cela, une réflexion objective sur l'architecture napolitaine nous l'enseigne; mais ne nous croyons pas obligés pour autant à une imitation servile des anciens. Position moyenne, réfléchie, plus nuancée que celles qui apparaissent souvent dans les débats passionnés du temps: pour A. C. Daviler par exemple [77], étant donné que « ces architectes [il s'agit de Borromini, Pierre de Cortone, Rainaldi etc.] considèrent leurs caprices comme des inventions ingénieuses et que c'est une erreur de suivre les règles, il est évident qu'ils sont sur une pente qui les amène à construire d'une manière encore moins artistique que la manière gothique, et qui est à l'opposé de l'an-

---

[76] Cf. *infra*, p. 139. On notera avec une certaine surprise que ces réflexions sur la part respective de la liberté créatrice et des modèles imposés dans l'architecture moderne et dans l'architecture antique n'apparaissent pas dans le Mémoire que Delamonce a lu à l'Académie en mars 1743 et dont le titre était « *Description de plusieurs édifices anciens comparés à des descriptions d'églises modernes des plus aparentes* » (Académie de Lyon, Ms. 190, fol. 35 à 46).

[77] A. C. Daviler, *Cours d'architecture*, 1691, p. 150.

tique, la meilleure et la plus sûre ». En effet, la plupart des théoriciens de l'architecture de l'époque, qui critiquent ouvertement les caprices du baroque, lui opposent la simplicité de l'antique. Limitons-nous ici à quelques exemples: « Après le grand Palladio, écrit l'anglais Colen Campbell, la noble manière et le bon goût de l'architecture se sont perdus, parce que les Italiens d'aujourd'hui ne savent plus goûter la simplicité antique, mais s'attachent à des ornements capricieux qui, finalement, ne peuvent déboucher que dans le gothique » [78]. De même, un peu plus tard, G. Boffrand va opposer la « noble simplicité qui aurait toujours dû être préservée » à cette mode qui, aujourd'hui, tourmente toutes les parties d'un édifice, parce que la décoration qui était celle des intérieurs et du bois sculpté est passée aux extérieurs de pierre, qui exigent plus de vigueur et de virilité [79]. Et l'on retrouve le même jugement chez les Italiens, puisque, dans le dialogue contre le « barocchismo » du début du XVIIIᵉ siècle, G. Bottari critique ces architectes qui ont abandonné les excellents modèles, ont renoncé à l'imitation et ont créé ces choses encore plus monstrueuses que le gothique [80]. Même jugement chez A. Visentini: « Ces architectes qui se sont éloignés de la vérité et de la manière juste qu'avaient enseignée les érudits et les maîtres de l'excellente antiquité . . . » [81], et l'on connaît les critiques violentes, dans les années 1780, d'un Milizia, dont certaines formules sur la richesse des ornements rappellent tout à fait le jugement de Delamonce: « Façade grande et riche, donc belle dira le vulgaire . . . Alors une riche momie sera belle . . . Et pourtant, plus un objet laid devient grand, plus il devient laid » [82], et c'est lui qui dira de Borromini qu'il ne fut acceptable qu'à ses tout débuts, « à l'époque où il copiait » [83]. On voit à quel point la position de Delamonce est plus

---

[78] Colen Campbell, *Vitruvius Britannicus, or the British architect*, 1717, p. 11.

[79] G. Boffrand, *Livre d'architecture*, 1745, cité par L. Patetta, *Storia dell'architettura, Antologia critica*, 1975, p. 181.

[80] G. Bottari, *Dialoghi sopra le tre arti del disegno*, 1754, p. 199-200.

[81] A. Visentini, *Osservazioni al trattato di T. Gallacini*, 1771, p. 46.

[82] F. Milizia, *Dizionario delle Belle Arti del disegno*, 1787-1792.

[83] F. Milizia, *ibidem*. Notons en passant que chez tous ces auteurs

nuancée, même s'il partage dans une large mesure, les sentiments de ces auteurs sur les excès de l'architecture baroque.

Nous l'avons dit déjà, Delamonce s'occupait autant de peinture que d'architecture; cela se voit immédiatement dans le *Voyage de Naple* et c'est, sans aucun doute, un des intérêts majeurs du texte. De fait, les visiteurs de Naples au siècle précédent ne prenaient guère en considération la peinture. Par exemple, Bouchard n'en parle pas et Misson ne lui consacre que quelques brèves remarques en passant. Quant à Caylus, ses notes sur Naples et ses environs sont brèves (bien entendu, il va à Pouzzoles, à Cumes et à Capri) et pour la peinture, on ne trouve outre des mentions du Guide, du Cavalier Massimo et de l'Espagnolet que des allusions rapides à Solimène, « peintre vivant et habile homme », une évocation du « très beau tableau » de L. Giordano, *Le Christ chassant les marchands du temple*, et une rapide description de la chapelle de San Martino où il signale entre autres deux « superbes tableaux de l'Espagnolet » [84]. Mais il insiste davantage sur l'architecture de la ville que sur la peinture. Chez Delamonce au contraire, on peut dire que les remarques qui concernent peinture et architecture s'équilibrent; d'un point de vue strictement quantitatif, les indications sur les fresques et les tableaux sont sans doute un peu plus longues, mais c'est parce que les œuvres sont beaucoup plus nombreuses: l'intérêt est le même. Le fait n'est pas si fréquent: on sait que Cochin, dont le *Voyage d'Italie* a un sous-titre, à lui seul, significatif [85], souligne, au début de son livre que la « mission » qui accompagnait le Mar-

le mot baroque est utilisé non pas avec un sens stylistique, mais seulement avec une valeur péjorative. Toutes les histoires de l'architecture d'aujourd'hui depuis Hautecœur jusqu'aux livres plus récents sur le baroque retracent plus au moins longuement l'histoire du mot; cf. aussi d'une façon plus systématique, O. Kurz, *Barocco: storia di una parola*, dans *Lettere italiane*, XII, 1960, p. 414 sq. et *Barocco, storia di un concetto*, dans *Barocco europeo e barocco veneziano*, 1963, p. 15 sq. On lira à ce sujet avec intérêt les remarques brèves mais précises et fines de A. Blunt, *Sull'uso ed abuso di « barocco » e « rococò » in architettura*, dans Blunt et De Seta, p. 13 sq.

[84] Caylus, *Voyage d'Italie 1714-1715*, 1914, p. 202-204.

[85] Ch. N. Cochin, *Voyages d'Italie ou recueil de notes sur les ouvrages de peinture et de sculpture qu'on voit dans les principales villes d'Italie*.

quis de Marigny dans son voyage d'étude était composée d'un architecte, Soufflot, d'un homme de lettres versé aussi dans les arts, l'abbé Le Blanc, et de lui-même, jugé capable d'examiner avec le directeur des bâtiments « les chefs-d'œuvre de sculpture et de peinture dont l'Italie est remplie ». Donc Cochin ne parlera du « reste » et notamment d'architecture qu'en passant. En revanche, il consacre soixante-dix pages à la peinture napolitaine et, d'autre part, les *Lettres à un jeune artiste peintre, pensionnaire à l'Académie royale de France* qui ont été publiées à la suite du *Voyage d'Italie* contiennent des indications et des jugements, pour nous, précieux sur les différentes écoles de peinture. Ainsi, on le voit, nous sommes loin du discours équilibré de Delamonce sur les créations de l'architecture et celles de la peinture.

On ne trouve pas chez Delamonce ces jugements d'ensemble sur les peintres napolitains qu'on trouvera chez Cochin: ce dernier, à la fin de son long chapitre sur Naples, consacre quelques pages à faire une sorte de tableau où il passe en revue « les peintres que cette ville peut regarder proprement comme siens », en énumérant d'abord les grands, puis « ceux qui sont du second ordre » [86]. Quelques années plus tard, l'Abbé Richard réfléchira au même problème: on ne peut sans doute pas parler d'une école napolitaine de peinture, mais à travers l'œuvre d'un Lanfranc, d'un Ribera, d'un Stanzione, d'un Luca Giordano, d'un Solimène et, plus tard de Giaquinto et de Sebastiano Conca, on doit reconnaître qu'il y a eu à Naples un centre très vivant de création picturale [87].

Certes. Mais n'oublions pas que Delamonce est venu à Naples deux générations plus tôt, ce qui ne change rien au point de vue de la réalité napolitaine, mais qui change beaucoup du point de vue de l'intérêt que les étrangers portent à Naples. Expliquons-nous mieux: les études nombreuses et de grande qualité qui ont été faites au cours des dernières décennies sur la culture napolitaine du XVIIe et du XVIIIe siècle [88] permettent d'affirmer que, au moment

---

[86] Ch. Cochin, *op. cit.*, p. 196-197.

[87] J. Richard, *Description historique et critique de l'Italie*, 1766, V, p. 491 (cf. Schudt, p. 382).

[88] Il n'est pas possible de faire ici une bibliographie détaillée de tous

du voyage de Delamonce, et cela depuis plusieurs générations, les activités dans le domaine de la peinture à Naples apparaissent comme assez exceptionnelles. Les historiens ont souligné les raisons qui peuvent expliquer ce phénomène. N'y revenons pas. Rappelons cependant que l'installation dans la ville de la noblesse du royaume avait favorisé les constructions et créé un mouvement dynamique de « l'edilizia » napolitaine, mais que le phénomène concernait plus l'architecture que la peinture, car, jusque-là, les demeures nobles n'accueillaient guère les grandes fresques de la peinture profane; c'était donc surtout pour la gloire du Seigneur et pour le salut des âmes que se multiplièrent les créations de la peinture religieuse; de nombreux artistes étrangers vinrent alors travailler à Naples, car « les artistes napolitains du milieu du XVIIe siècle étaient terriblement réceptifs à de multiples influences »[89]; bref, du point de vue artistique, la ville était ouverte, réceptive et en même temps très active. Disons-le avec beaucoup de précautions: les « malheurs » qui ensuite se sont abattus sur Naples et sa région avec une incroyable densité au cours de la seconde moitié du siècle n'ont pas ralenti cette activité créatrice, on oserait presque dire, au contraire. Et pourtant! Il y eut la peste de 1656, les famines (1672, 1696), les épidémies (1691) sans oublier les tremblements de terre (1688, 1702) et les violences répétées du Vésuve. Mais, après chaque malheur venaient les actions de grâce. Même la domination autrichienne à partir de 1707 n'interrompit pas ce grand mouvement créateur: Luca Giordano venait de mourir et les peintres les plus célèbres ou les plus connus étaient alors Solimène, Giacomo del Po et Paolo De Mat-

ces ouvrages, ni même de citer les noms des principaux auteurs qui, récemment, ont travaillé sur ce sujet. Ce qu'il faut souligner c'est que d'une part, à cette époque, la culture napolitaine est une culture européenne et que, d'autre part, jamais comme alors « les arts » n'ont formé un ensemble culturel aussi indissociable. Voici qui rend vain tout essai bibliographique: pour cette époque nous renvoyons, pour toutes les publications antérieures à 1970, à la *Storia di Napoli*, et pour la décennie suivante à la bibliographie du catalogue *Civiltà del Settecento a Napoli*, II, p. 451-469.

[89] A. Brejon de la Vergnée, *Rapports entre la peinture française et napolitaine au XVIIe siècle*, dans *La peinture napolitaine de Caravage à Giordano*, 1983, p. 82.

teis. Or, non seulement les vice-rois envoyés de Vienne manifes-
tèrent d'emblée leur intérêt pour les arts par des commandes importantes d'œuvres destinées à leur patrie, non seulement de Vienne
affluèrent un certain nombre de commandes [90], mais, si, comme il est
normal, les Autrichiens lancèrent peu d'opérations pour l'accroisse-
ment et l'embellissement de la ville, les communautés religieuses
continuèrent plus que jamais à ordonner aux artistes des tableaux
ou des fresques pour décorer les églises et les couvents; de plus,
comme l'a bien souligné O. Ferrari [91], les nobles commencèrent alors
à penser à la décoration de leurs palais, si bien que ce ne fut pas
« dans les églises, mais dans les salles et les galeries des palais pa-
triciens que la peinture napolitaine au début du XVIIIᵉ siècle eut
à faire porter ses efforts les plus originaux » (O. Ferrari). Ce qu'il
est donc important de comprendre c'est que ces années antérieures
au règne des Bourbons (c'est en 1734 que Charles III devint roi
des Deux-Siciles) sont des années de vie intense à Naples, non
seulement dans le domaine des arts, mais, d'une façon plus large,
dans la vie culturelle.

De ce climat de vie et de ferveur, Delamonce a-t-il conscience?
Ne revenons pas sur l'évolution du goût que l'on peut relever chez
les « voyageurs » devant les réalités napolitaines. Ce qui est sûr,
c'est que, pour des raisons de nature diverse (manque de temps,
manque de contacts, manque d'intérêt . . .), un Delamonce, qui est
vraiment attentif aux arts et à leurs créations, ne cherche ni à connaître les artistes ni à comprendre une culture. Certes, gardons-nous
d'aller trop loin ou trop vite, et, ce qui m'apparaît vrai pour le
séjour napolitain de Delamonce à Naples, je me garderai bien de le
transposer comme un trait caractéristique de notre auteur. Mais,
ce qui est assez extraordinaire, c'est que ces artistes napolitains dont
Delamonce admire les œuvres et le talent, ce sont, comme lui, à
la fois des architectes, des peintres, des hommes de culture. Ils ont
les mêmes préoccupations, le même éventail de dons, la même pa-
lette d'activités créatrices. Cela est vrai non seulement pour un

[90] O. Ferrari, *Gli anni del Viceregno austriaco*, dans *Civiltà*, p. 130-132.
[91] O. Ferrari, *ibidem*, p. 133.

Solimène, mais pour bien d'autres (pensons par exemple à D. A. Vaccaro, qui en 1719 avait un peu moins de quarante ans). Or, non seulement il ne les voit pas, mais — semble-t-il (?), nous devons, il est vrai, dans l'ignorance où nous sommes des conditions de son séjour, faire preuve de la plus grande prudence — il ne cherche pas à les connaître, à les comprendre, à sentir le poids et la pulsation de la vie intellectuelle. Je pense là encore aux influences de l'Arcadie et, d'une manière plus générale, à ce mouvement de réflexion qui englobait toutes les formes de la pensée et de l'art et que reflète bien le livre contemporain de Muratori *Riflessioni sopra il buon gusto nelle scienze e nelle arti* (1712). Mais, en réalité, c'est surtout plus tard que l'on verra les « voyageurs » essayer de prendre contact avec les « élites » locales, qu'il s'agisse des artistes ou des représentants éclairés des aristocraties. Delamonce voit le Duc de la Tour parce qu'il lui montre sa collection de tableaux. C'est tout!

Autre remarque qui nous semble importante, parce qu'elle explique ce qui peut nous paraître une étrange lacune dans le récit de Delamonce: au début de cette brève introduction, en indiquant qu'il ne commentait pas pour ses auditeurs, ne fût-ce que d'un mot, le changement de régime qui s'était produit à Naples entre la date de son voyage et celle de la lecture du récit à l'Académie, nous avons dit que Delamonce ne manifestait dans ce texte aucun intérêt réel pour l'histoire: non seulement il n'y a rien, ou presque, entre l'antiquité et le temps présent, mais ces monuments qu'il voit, qu'il décrit, les œuvres de ces peintres qu'il admire, il ne les situe pas dans le temps, ni pour les autres, ni pour lui.

Ne nous en étonnons pas outre mesure. Souvent la mentalité du voyageur est à l'inverse de celle de l'historien: celui-ci cherche à comprendre et à expliquer les événements ou les situations, à faire entrer l'apparent singulier dans les catégories du général. Le « voyageur » au contraire cherche, pour elles-mêmes, les « curiosités » qu'il va décrire ou raconter, et son récit sera d'autant plus intéressant pour les autres qu'il contiendra plus d'événements singuliers. C'est pourquoi un Montesquieu ou un Gibbon ne seront jamais de vrais « voyageurs », et rien n'est plus significatif à cet égard que la lecture

41

du chapitre que ce dernier consacre à Rome dans son voyage en
Italie: c'est un inventaire de ce qu'il voit, sans le moindre commentaire ni sur les objets ou les monuments, ni sur la ville en tant
que telle. Son travail, comme il l'écrit de Florence en juillet 1764,
c'est de « faire un édifice et pour cela, il faut s'occuper des fondations, et être autant maçon qu'architecte » [92]. C'est comme cela que
l'on comprendra quelque chose à l'histoire de Rome. Tout autre est
le propos de notre Delamonce, qui précise, d'entrée de jeu, que le
prétendu destinataire de sa lettre est « dans une grande impatience
d'apprendre quelques singularitez [de Naples] par [son] organe ».
C'est pourquoi nous aurions tort de demander à Delamonce ce qu'il
ne veut pas nous donner: et ce qui est vrai pour l'histoire de Naples
l'est tout autant pour l'histoire de l'art. Il a visité, il énumère, il
décrit, mais son inventaire n'est pas comme celui de Gibbon; la
liste, faite pour lui, des choses qu'il a vues et qui lui servira ensuite
de document de travail, c'est une liste de noms ou d'œuvres, avec
un vague commentaire ou une rapide appréciation, qui se prétend
pourtant une source d'informations pour les autres. Rappelons la
manière dont il introduit la description de la Chartreuse de San Martino, qui est un peu le point fort du *Voyage de Naple*: « Je vay
enfin terminer, Monsieur, ce long détail des églises que j'ay . . . [*sic*]
par celuy de la célèbre Chartreuse de St. Martin puisque les singularitez qui la distinguent méritent bien que les connoisseurs étrangers se donnent la peine de monter sur la colline fort élevée et
très rapide, dont l'on est amplement dédommagé » [93]. Voilà ce qu'il
va faire, une liste des « singularitez »! C'est pourquoi, lorsque F.
Bologna, qui connaît mieux que personne l'œuvre de Solimène [94],

[92] E. Gibbon, *Viaggio in Italia*, éd. italienne 1965, p. 167.
[93] Cf. *infra*, p. 149.
[94] Dans l'ensemble des travaux de F. Bologna, tous importants, citons
notamment: *Francesco Solimena*, 1958, la première étude fondamentale sur
ce peintre; *Aggiunte a Francesco Solimena, la giovinezza e la formazione
(1674-1684)*, dans *Nap. Nob.*, 1962-1963, p. 1-12; *Solimena al Palazzo Reale
di Napoli per le nozze di Carlo di Borbone*, dans *Prospettiva*, 1979, 16, p. 53-
67; *La dimensione europea della cultura artistica napoletana*, dans *Arti e civiltà del Settecento a Napoli*, 1982, cité *supra*, n. 4.

pense pouvoir tirer du jugement plus qu'élogieux de Delamonce sur les fresques de San Paolo Maggiore qui, dans l'optique de F. Bologna, marquent la fin de la première manière soliménienne, l'idée que Delamonce et les Français (car Cochin dit la même chose) étaient plus sensibles au baroquisme de cette première phase qu'aux compositions plus raisonnées qui suivirent, nous pensons que F. Bologna prête à Delamonce plus de sens critique et surtout de réflexion historique qu'il n'en a. Non, Delamonce n'a rien d'un historien, qu'il s'agisse d'histoire ou d'histoire de l'art.

Il faut le situer beaucoup plus parmi ces esprits qui aiment alors discuter de l'ancien et du moderne, du beau, du mauvais goût et du bon goût; certes, il notera des ressemblances entre un tableau qui se trouve dans l'église des Incurables et dont il ne connaît pas l'auteur [95] et « l'école des Carraches »; ailleurs il affirme que Mattia Preti était « l'élève de Lanfranc qui n'oublia rien pour le perfectionner » [96] ce qui, sous cette forme, est excessif, mais, en général, il se contente de noter qu'un tableau est d'un beau ou d'un très beau pinceau, ou d'une bonne ou fort bonne main, ou qu'il a été exécuté avec un grand succès... Ce n'est pas cela, l'histoire de l'art.

Et pourtant! À la lumière de ce que nous avons dit et sans oublier que nous manquons de beaucoup d'éléments sur la vie et l'œuvre de Delamonce que seules pourront apporter B. de Villaine et M. F. Pérez, reprenons le « discours » de Delamonce qui fut lu à l'Académie de Lyon en mars 1753 et que vient de publier avec soin M. F. Pérez [97]. Le titre est clair: « *Lettres ou remarques touchant le nouveau livre intitulé*: Réflexions critiques sur les différentes écoles de peinture par le Marquis d'Argent ». Le livre du Marquis d'Argens (c'est la vraie orthographe) prenait place, comme le souligne bien M. F. Pérez dans une « polémique ancienne... Fallait-il, comme l'avait fait le marquis d'Argenville, admettre la supériorité des artistes italiens et donc envoyer les jeunes Français s'instruire à

[95] Cf. *infra*, p. 132 et n. 72.
[96] Cf. *infra*, p. 141.
[97] Cf. M. F. Pérez, 1981.

Rome ou bien, selon le marquis d'Argens, l'école française était-elle assez forte et autonome pour soutenir la comparaison et éviter au roi les frais d'un établissement à Rome »? [98] Vieux débat académique, déjà mal posé, qui, déjà, soulevait les passions que l'on sait ... Delamonce va donc à son tour faire des « parallèles » entre les artistes des deux pays en utilisant comme critères de jugement les catégories de Vasari « l'invention, le dessein et le coloris » auxquels, transposant à l'art le concept de sel attique, il ajoute le « sel pictoresque indispensable au bel art ... ». Delamonce reprend donc un certain nombre de « parallèles » proposés par le marquis d'Argens et il en ajoute d'autres pour arriver à plus de trente et suggérer encore une liste d'une vingtaine de noms d'artistes italiens pour lesquels il n'a pas trouvé d'équivalents français.

Laissons la méthode des « parallèles », la plus antihistorique qui soit, et qui eut pourtant le succès que l'on sait. Mais voyons ce que dit Delamonce des peintres napolitains ou ayant travaillé à Naples: de Lanfranc, mis en parallèle avec Vouet, il écrit: « Ils étoient tous deux nez pour les grands ouvrages de peinture, avec un égal goût. L'Italien eut le bonheur de se former dans la sçavante école des Carraches, tandis que Vouet se dévoya dans l'étude du Caravage et n'eut aucun sel pictoresque, ayant même acquis un fort mauvais coloris » [99]. Puis il met en parallèle Solimène et Subleyras: laissons le long paragraphe qu'il consacre à Subleyras, mais voyons ce qu'il dit de Solimène: « Ce peintre napolitain étoit un des plus habiles élèves de Luca Giordano, son compatriote; étant moins intéressé que luy, il ne se borna pas à une routine superficielle; il s'attacha au contraire à un grand détail de l'imitation du naturel corrigé par les principes de l'art. En sorte qu'on peut le considérer comme le Pietro de Cortone réformé, dont il avait aussi acquis en partie la manière. Il s'est distingué par la fraîcheur et l'harmonie de son coloris. On en voit une preuve admirable par la peinture de la voûte de la sacristie de l'église des Saints-Apôtres de Naples. Il a possédé même le clair obscur; mais, dans ses dernières années, il

---

[98] Cf. M. F. Pérez, *ibidem*, p. 486-387.
[99] Cf. M. F. Pérez, *ibidem*, p. 497.

tomba dans un coloris avec des ombres noires, ayant néanmoins continué toujours de bien composer, et il n'oublia pas le sel pittoresque dont il a toujours fait un heureux usage » [100].

Faisons à propos de ce texte deux remarques rapides: d'abord Delamonce se trompe — ce qui est curieux — en citant les Saints-Apôtres au lieu de San Paolo Maggiore; ensuite on retrouve cette critique des œuvres plus récentes de Solimène avec, comme chez Cochin, cette allusion aux « ombres noires ». On le voit, il ne s'agit pas de l'évolution conceptuelle de la manière de peindre, mais de cette manie des ombres trop contrastées, noires ou bleues comme disait Cochin.

Reste le parallèle entre Luca Giordano et Jouvenet: « Je ne say lequel de ces deux peintres habiles avoit une veine plus abondante, n'y une exécution plus hardie. D'abord l'Italien fortifia dans sa jeunesse ses heureuses dispositions par une étude assidue de son art et d'après les plus grands maîtres, ce qui luy aquit une manière aussi artiste qu'agréable, mais par un excès d'avidité pour le gain, il se livra du depuis à une routine par laquelle il dégénéra beaucoup de sa première habilité, ce qu'il fit cependant sans oublier le sel pictoresque . . . » [101].

Voilà comment, et c'est normal, Delamonce dans un discours spécifique présentait en 1753 à ses confrères lyonnais ses réflexions sur la peinture italienne et la peinture française [102]. On ne pouvait donc s'attendre à ce que, une trentaine d'années plus tôt, il analysât, au cours de son bref voyage à Naples, l'œuvre des maîtres napolitains du XVIIe et du XVIIIe, comme, en un sens, nous aimerions aujourd'hui qu'il eût fait. C'est trop clair: Delamonce voyage, regarde et raconte comme les hommes de son temps et c'est comme tel que nous devons, nous, l'étudier et le lire.

---

[100] M. F. Pérez, *ibidem*, p. 498.

[101] M. F. Pérez, *ibidem*, p. 499-500.

[102] Pour tout ce qui concerne le texte de Delamonce et son dossier, à la Bibliothèque de l'Académie de Lyon, je renvoie aux deux articles importants que j'ai constamment utilisés de M. F. Pérez cités dans la bibliographie M. F. Pérez 1977 et M. F. Pérez 1981.

45

Du texte lui-même, il y a peu à dire: conservé à la Bibliothèque de l'Académie de Lyon, Recueil 136, fol. 187-202 *, et suivi d'un résumé, fol. 203-205, le tout accompagné de la mention suivante: « 9 mars 1740. M. Delamonce a lu un mémoire en forme de lettres qui constituent une description de son voyage à Naples depuis Rome » (n° 209), il se présente sous la forme de longs feuillets reliés (ce qui rend parfois incertaine la lecture de quelques fins de lignes) couverts d'une écriture serrée, penchée et fine. Les feuillets du manuscrit comportent une seule numérotation pour le recto et le verso; nous avons indiqué ce numéro dans le texte entre crochets droits.

La lecture en elle-même ne présente pas de difficultés majeures: la graphie est correcte, les repentirs peu nombreux (quatre lignes ont été barrées, p. 65, tout en restant parfaitement lisibles); l'auteur s'est peu ou mal relu puisqu'il arrive à plusieurs reprises qu'un mot soit répété ou oublié et en tout cas il n'y a pratiquement pas de retouches de style. Nous croyons avoir déchiffré l'ensemble sans risque particulier d'erreur (malgré les incertitudes signalées pour quelques fins de lignes). Le fac-similé reproduit (fig. 1) permettra de voir sur pièce l'état du manuscrit et la qualité de l'écriture.

Pour l'édition, nous avons suivi les critères qui ont été définis pour les publications du Centre Jean Bérard: l'orthographe a été scrupuleusement respectée, qu'il s'agisse de graphies normales à l'époque ou d'erreurs évidentes de l'auteur; en revanche, la ponctuation et l'accentuation adoptées sont celles d'aujourd'hui.

Les notes au texte ont pour but essentiel d'aider le lecteur à identifier un monument ou une œuvre d'art, à comprendre une allusion ou un détail, à corriger une erreur; mais, cela va de soi,

* Le manuscrit comporte en fait une erreur de numérotation (il y a deux pages portant le numéro 201); le dernier feuillet devrait donc être numéroté 203.

il convenait aussi, par des comparaisons avec des textes d'autres voyageurs ou de critiques, d'essayer de cerner ce qu'était le goût de notre auteur et de voir dans quelle mesure il correspondait au goût d'une époque. Ce fut pour moi la partie la plus intéressante du travail, celle-là même que j'ai reprise et développée dans l'Introduction. J'espère que ces indications sans prétention pourront intéresser tous ceux qui s'attachent à comprendre le regard qu'ont porté les étrangers, et particulièrement les Français, sur Naples et sa culture, cette Naples dont on sait le rôle qu'elle jouait alors en Europe.

Ce genre de commentaire aurait exigé dans les domaines les plus variés une vaste culture. Par chance, j'ai pu combler en partie mes lacunes grâce à la compétence et à la gentillesse d'amis français et italiens que je tiens à unir ici dans une même gratitude: « l'équipe lyonnaise » d'abord et notamment M. F. Pérez, J. Pouilloux, J. F. Reynaud, D. Ternois, B. de Villaine; j'ai eu le concours amical de P. Auberson, A. Jacques, M. Matucci et, à Rome, l'aide de N. de la Blanchardière, L. et S. Quilici, F. Ch. Uginet. Mais c'est surtout aux amis napolitains que je tiens à dire ici ma plus cordiale gratitude: L. Alberti, S. et M. Andrieu, M. F. Buonaiuto, G. Cafasso, T. Camerlingo, M. Cébeillac, P. et V. Cozzolino, D. De Conciliis, D. Del Pesco, C. De Seta, E. Di Pietro, G. Papoff, M. Siniscalchi, G. Viggiani. Outre la science j'ai trouvé chez eux à chaque occasion disponibilité et gentillesse. C'est de cela surtout que je voulais leur dire merci. Malgré les problèmes matériels que l'on connaît et qu'a aggravés considérablement le tremblement de terre de 1980, je tiens à dire que mon travail à Naples a été facile, grâce à la gentillesse des personnes, qu'il s'agisse des archives, des bibliothèques ou de l'université. J'ajoute que j'ai trouvé au Magistero di Suor Orsola Benincasa une aide dont je remercie ici son directeur, A. Villani, ainsi que la responsable de la Fondazione Pagliara, A. Caputi. Ma gratitude personnelle va également à A. Rossi et à l'équipe de l'Arte Tipografica.

Faut-il dire enfin combien j'ai été sensible à l'honneur que m'ont fait M. Colesanti, professeur à l'Université de Rome, et D. Ternois, professeur à l'Université de Lyon, en acceptant de présenter ce livre? C'est là une marque d'estime qui m'a touchée.

au reste pour comencer avec ordre la description de l'Eglise de cette belle
chartreuse, qui est tres grande eu Egard à son Extreme magnificence, qui
est soutenüe par la regularité de son architure, ce qui donne un nouveau
a la richesse de ses embellissements: je comence par son Vestibule acompagné de deux chapelles, il y a dans la premiere un Tableau de l'Espa:
gnolet l'autre oposée a été peinte par Paul Mathei, Eleve de Luca Jor:
dano. Tout l'interieur de ce beau vaisseau composé de pillastres, et d'arcades, et acompagnés de chapelles, est entierement incrusté de mar
bre blanc, et varié, ainsi que tous les autels, les Balustrades, et le pavé
ces marbres sont meslés avec des peintures à huile et à fresque des
ouvrs de Lanfranc, Cav. Josepin, Solimene, et d'autres grands maitres, tant au
au sanctuaire, et sur les autels, où il y en a des Cavaedy, du guide
de l'Espagnolet, et autres. Il ne manquoit alors que le Tabernacle, et
l'autel, dont je vis les modeles en bois, peint et doré: mais come
ces projets ne repondent à la prodigieuse depense que l'on se propose
d'y faire, l'on nous asseura que l'on cherchoit quelque chose de plus
parfait. Je trouvay en sortir dequoy me satisfaire dans la sacris
tie du Tresor, qui est aussi magnifique, et dont la voute en coupole a
été peinte par Luca Jordano. mais rien n'Egale le Tableau de l'autel
representant le sauveur mort avec les maries et St Jean peint en haut
teur par l'Espagnolet, dont la composition, le dessein, et surtout le colory
sont tels qu'on considere cet ouvrage come son chef d'oeuvre, étant
d'ailleurs colorié presque dans le gout de Vandeick.

1. Fac-similé du manuscrit de F. Delamonce, *Voyage de Naple*, fol. 202.

LE « *VOYAGE DE NAPLE* »

[187 r] Voyage de Naple
par M. Delamonce
lu à l'académie le 9 mars 1740

Monsieur,

je m'aperçois un peu tard, permetez-moy de vous le dire, que l'excès de docilité avec laquelle j'ay satisfait si régulièrement à vos souhaits touchant notre belle, et fameuse ville de Rome, excite encore en vous une nouvelle curiosité[1]: vous ne vous lassez point de me demander de semblables tâches, et malheureusement pour moi, vous ne vous lassez point, en peine si je ne me lasseray pas de vous faire des descriptions. D'ailleurs pensez-vous que je trouveray partout de quoi satisfaire votre avidité; non, sans doute, aussi est-ce ce qui me console, voyant que sans y penser vous me rangez contre vous-même, lorsqu'entre autres descriptions vous me demandez celle de Naple. L'on vous en a dit tant de merveilles, dittes vous, que vous êtes dans une grande impatience d'en aprendre quelques singularitez par mon organe; mais fussiez-vous autant prévenu en faveur de l'Italie, que le sont la pluspart des françois qui ont séjourné longtemps hors de leur patrie, je vous diray ingénûment que l'on vous a trompé par les exagérations que l'on vous a faite. Le nom de Naple, et son histoire sont célèbres, il est vray, et cette grande ville renferme encore beaucoup de raretez singulières. Tout

---

[1] Delamonce adopte donc la fiction de la lettre, et cette lettre concernant Naples est censée en suivre d'autres présentant un récit de la visite de Rome. De toute façon, on sait que le 28 février 1738, Delamonce avait lu à l'Académie plusieurs de ces lettres constituant une description de Rome: cf. M. F. Pérez, *Un Discours inédit de F. Delamonce (1753)*, dans *Mélanges Couton*, 1981, p. 485, n. 4.

cela cependant, vous le diray-je, n'influe pas encore assez pour ré-
pondre précisément à la haute idée que vous en avez conçue. Ainsi
ce qui causera un obstacle à votre satisfaction m'épargnera beaucoup de détails: mais, que dis-je, mon amitié, toujours constante
et ingénieuse à chercher des mets de votre goût, n'oublie rien pour
y supléer. Elle m'inspire d'y joindre quelques singularitez des environs et même de la route qui pourront peut-être vous dédommager
de ce que vous ne trouverez pas dans cette capitale, voulant à quelque prix que ce soit tâcher de vous satisfaire, puisque je n'ay rien
à vous refuser. Je vais donc sans autre préambule entrer en matière [2].

Je partis de Rome par le *Procaccio* [3] le onzième de mars mil-
septcentdixneuf [187 v], c'est une espèce de voiture publique ou

---

[2] On aura noté le long préambule rhétorique de Delamonce. Ce qu'il
faut en retenir, c'est que, pour ne pas décevoir les membres de l'Académie
par une description limitée à Naples, il ajoutera à son propos un récit de son
voyage de Rome à Naples (16 pages!). Il annonce même l'évocation de quelques « singularités » des environs de Naples qui, en fait, n'apparaissent pas
dans son discours. On notera enfin que, dès le début de son texte, Delamonce prend exactement le contre-pied de Misson (qu'il utilisera régulièrement): « la route de Rome à Naples est mauvaise et l'on y rencontre peu de
choses qui méritent d'être remarquées; mais on trouve de quoi se récompenser à Naples, au mont Vésuve et parmi toutes les raretez de Bayes, de
Pouzzol et des environs » (II, p. 61-62).

[3] Le procaccio était, comme l'indique clairement Misson dans son « Mémoire pour le voyageur » qui ouvre le tome IV du *Voyage d'Italie* (p. 1-114),
un des moyens commodes pour se rendre de Rome à Naples. On pouvait en
effet prendre, soit des chevaux ou des calèches avec des changements de poste,
soit le « Procaccio, le messager ordinaire » (p. 62) qui suivait normalement
la route du bord de mer. On se rappelle comment, dans son *Voyage de Naples*,
Bouchard raconte son départ de Rome pour Naples le 13 mars 1632; il a,
en compagnie d'un ami, passé un accord avec un voiturin, et il écrit: « Cette
façon de prendre ainsi monture à part d'un voiturin et faire la despense pour
soy par les hostelleries est meilleure que de faire marché avec le procache
pour la monture et la nourriture ensemble ... Le remède qu'il y a à cela
est de traiter premièrement avec le procache mesme et de mettre dans son
marché que l'on mangera à sa table avec luy, laquelle est toujours meilleure
que celle du commun » (II, p. 160). Comme on le voit, Bouchard ne fait
pas clairement la distinction entre le moyen de transport privé (le voiturin) et
le moyen de transport public (le « procaccio »).

54

chaise assez mal conditionnée, et ce qui pis est, qui ne fait que de fort courtes journées.

Ceux cependant qui, comme moy, veulent avoir le tems d'examiner ce que l'on rencontre de remarquable sur le chemin, la préfèreront à la poste indépendamment de la fatigue, et de la dépence; cela ne laisse pas de mettre les voyageurs un peu de mauvaise humeur, joint à la maigre chère, et aux désagréables gîtes où il faut coucher, en sorte que pour n'être pas plus mal partagé, l'on prend enfin le party de charger le voiturin de la dépence.

Après que nous eûmes passé le bourg de *Marino*[4] à 12 milles de Rome, nous trouvâmes, par intervale, d'assez beaux points de vue. J'oubliois de vous dire que ce bourg apartient à l'illustre maison Colonna qui y a un lieu de plaisance assez aparent, mais fort négligé; je vis seulement dans la plus grande église un fort beau tableau de prix. Au reste, les curieux de l'antiquité ont sujet d'être assez satisfaits de trouver sur cette route un grande nombre de tombeaux antiques, mais la plupart fort ruinés[5]. Ce sont moins des cercueils de pierre, ou de marbre tels que vous pourriez vous imaginer que des petits bastimens ou temples, qui renferment des caveaux dont le plus souvent l'intérieur est décoré de peintures à fresque ou d'ornemens de stuc en basse taille d'assez bon goût et à peu près comme ceux des autres environs de Rome. Ils sont de même tout construits de brique, d'une forme assez régulière et souvent semblable.

Nous arrivâmes de bonne heure à *Veletri*, petite ville épiscopale

[4] Les premières indications concernant Marino se retrouvent à peu près dans la même forme chez Misson (II, p. 62); celui-ci, en revanche, ne signale pas l'église de St.-Barnaba (Collegiata di San Barnaba) avec le tableau du Guerchin que, par la suite, les voyageurs décriront avec admiration (cf. par exemple Cochin, p. 121-122; Lalande, V, p. 202-203 et Vasi, p. 822; cf. aussi F. J. Delannoy, *Voyage de Tivoli*, 1782, dans *Carnets d'Italie*, à paraître dans cette collection).

[5] C'est la route d'Albano à Ariccia. Les voyageurs de la seconde moitié du siècle s'extasieront sur la beauté du site (cf. Delannoy à paraître) et dessineront volontiers certains des tombeaux, comme par exemple le célèbre tombeau dit des Horaces et des Curiaces que reproduira à plusieurs reprises Piranèse (cf. *Catalogo fondazione Cini*, 1978, pl. 124 et 185).

de l'État du pape, laquelle n'a guère d'aparence, mais nous vîmes dans la grande place une face de théâtre antique encore assez conservée [6]. Je n'y vis plus la partie cintrée qui [188 r] renfermoit les bancs circulaires de pierre, où se plaçoient les spectateurs, dont il reste, dans ceux de Rome, de magnifiques débris, tandisqu'au contraire il n'y reste aucun vestige de ces façades qui étoit en face des spectateurs, ce qui rend celle-cy fort curieuse et peut-être unique.

Cet édifice est en partie construit de maçonerie et de pierre de taille d'un dessein assez particulier. Le milieu consiste dans une arcade fort élevée et dépouillée de ses embellissemens, et chaque mur dont elle est acompagnée à droite ou à gauche sur la même ligne est percé de quatre arcades, sçavoir, d'une grande, d'une moyenne et de deux petites; la moyenne et la grande sont décorées, surtout cette dernière, par deux collonnes corinthienes sur des piédestaux et par leur entablement avec architraves, frises et corniches en ressaut qui, par leurs proportions et par le bon goût de leurs profils, paroissent un ouvrage du haut empire. Je n'ay point vu l'in-

---

[6] On lira avec intérêt mais aussi avec un nécessaire sens critique ce long passage de Delamonce sur ce qu'il considère comme les restes du théâtre antique de Velletri: ce qu'il voit, c'est le mur de fond du « théâtre de la passion » qui, à partir du XVe siècle, servait d'édifice pour des représentations sacrées. La description qu'il en donne est très exacte comme le montre la gravure reproduite fig. 2 (extraite de A. Gabrielli, *Il teatro della passione in Velletri*, 1910): on y voit le niveau supérieur avec ses arcades symétriques, le niveau de la scène construit sur un podium ouvrant par d'autres arcades. En plus de cette précision, on notera que Delamonce cherche à comprendre et à interpréter ces structures. Cet ensemble fut détruit en 1765 lors de travaux d'urbanisme (cf. Gabrielli, *op. cit.*, p. 9).

On signalera avec intérêt qu'à date récente l'hypothèse que ce théâtre de la passion puisse remonter à l'antiquité a été soutenue par G. Cressedi dans sa monographie consacrée à la Velletri antique (Cressedi, *Velitrae*, 1953, p. 53-57) qui propose d'y voir un monument d'époque des Sévères. C'est cette opinion que l'on retrouve sans commentaire dans le guide récent de S. Quilici Gigli, *Roma fuori le mura*, 1980, p. 119: « Occupava il fondo ovest della piazza il cosiddetto Teatro della Passione, una grandiosa fronte scenica romana nota da un'incisione che ne fece fare prima della sua distruzione nel 1765 il Cardinale Borgia ».

AVANZI DEL « TEATRO DELLA PASSIONE » IN VELLETRI (DA ANTICA INCISIONE)

2. Le théâtre de la passion à Velletri. (De A. Gabrielli, *Il Teatro della Passione in Velletri*, 1910).

térieur de ce bastiment parce qu'il est en partie détruit et ambarassé de constructions modernes. L'on voit au reste, au devant de cette façade, une grande terrasse au-dessus de quelques arcades; ainsi de la manière que les anciens auteurs nous ont décrits leurs théâtres, il n'y a pas lieu de douter que ces huit portes ou arcades différentes étaient celles par où sortoient les acteurs pour paroître sur la cène qui étoit cette terrasse, n'ayant pas comme nous des décorations mobiles et postiches, et d'ailleurs cette cène, le parterre et les bancs étoient à découvert; ainsi les acteurs et les spectateurs n'étoient à l'abry du soleil et de la pluye qu'à la faveur de quelques tentes de toile que l'on tendoit par des cordages. Cela vous paroîtra, Monsieur, sans doute extraordinaire, mais il n'étoit pas moins réel non plus que les masques ridicules des acteurs qui, comme des espèces de bonets descendoient jusqu'au [188 v] cou et leur envelopoient toute la tête, moyennant des ouvertures pour les yeux, le nez et la bouche et qui, par ce volume, les rendoient fort hydeux mais, dans tous les tems, l'acoutumance des visages en a effacé le ridicule qui n'a été reconnu que dans la suitte. Je diroy en passant que nous voyons encore une preuve de ces plaisans masques par ceux des principaux personages de la procession instituée par le roy Roger de Naple que l'on fait à Aix-en-Provence le jour de la fête de Dieu [7], ces

---

[7] Ces cérémonies de la Fête-Dieu à Aix-en-Provence sont célèbres et la ville s'est acquise dans ce domaine « l'un des premiers rangs; elle doit cette distinction à la piété et au génie d'un de ses souverains particuliers: c'est René d'Anjou, roy de Jérusalem et des deux Siciles, comte de Provence, qui, un peu après le milieu du XVᵉ siècle, fut l'inventeur du cérémonial qui lui est propre en ce jour » (P. J. Haitze, *L'esprit de cérémonial d'Aix en la célébration de la Fête-Dieu*, 1708, p. 15-16; cf. aussi G. Gaspard, *Explication des cérémonies de la Fête-Dieu d'Aix-en-Provence*, 1777, *passim*). Selon l'abbé J. B. Quiet, qui unit la pruderie de son état et l'esprit du Second Empire, ces fêtes se produisent souvent sous « les hideux travestissements d'un sensualisme grossier » (J. B. Quiet, *Explication nouvelle des Jeux de la Fête-Dieu d'Aix*, 1851, p. 4). L'abbé Quiet décrit les rites et les costumes en insistant notamment sur les « testières », « masques enveloppant toute la tête; un grand nombre des acteurs de ces jeux en sont revêtus » (p. 6, n. 7): c'est ainsi que les Israélites sont représentés « avec des testières hideusement renflées sur les deux côtés, signe de leur aberration monstrueuse » (p. 7).

masques ayant un vray rapport avec ceux des anciens dont je viens de parler et que nous voyons encore dans leurs basreliefs.

Je suis bien aise de vous faire cette petite digression qui nous prouve que les hommes de tous les siècles et de toutes les nations ont été susceptibles de quelques folies générales ou particulières.

Enfin nous vîmes dans une autre place de Veletri une très belle statue de bronze du pape Urbain VIII [8] assis donnant la bénédiction; elle a été jettée sur le modèle du fameux chevalier Bernin, et n'est pas inférieure en beauté à celle qui est dans Rome, au tombeau du même pontife de l'église de St. Pierre, aussi du même sculpteur; mais celle-cy est d'un dessein différent; elle est élevée sur un grand piédestal de marbre blanc.

La cathédrale ou le dôme est un édifice moderne [9] d'ordre dorique en pilastres et en arcades d'un dessein assez massif formant une croix latine, c'est-à-dire à trois branches égales et une longue, avec une calote élevée dans le centre. Il y a près de cette église un grand clocher quarré et isolé, précisément de la forme de celuy de la place de St. Marc de Venise; il est aussi de structure gothique, en petites pierres noires avec des lits de brique.

Le palais Geneti [10] du dessein de Martin Longui qui a été un

---

[8] Cette statue d'Urbain VIII par le Bernin est, depuis Misson (Misson, II, p. 63), signalée avec admiration par tous les voyageurs. On sait qu'elle fut détruite lors de la guerre de 1798 (cf. R. Wittkower, *Gian Lorenzo Bernini*, 1955, p. 200). Le rapprochement avec la statue du même Urbain VIII qui fait partie du superbe tombeau de ce pape réalisé par Bernin (1642-1647) à Saint-Pierre de Rome est simplement dû au fait qu'il s'agit, dans les deux cas, d'une œuvre de Bernin représentant Urbain VIII Barberini. Sur l'autre statue d'Urbain VIII par Bernin qui se trouve au Musée du Capitole, cf. R. Wittkower, *op. cit.*, p. 200.

[9] Ce n'est pas la cathédrale, mais l'église de S. Maria del Trivio (refaite aux XVIIe et XVIIIe siècles: la façade est du XIXe siècle); la belle tour, dite torre del Trivio, achevée en 1353, avec ses alternances d'assises de lave et de lits de brique, lui sert de clocher. Cette église ne semble pas avoir retenu particulièrement l'attention des autres voyageurs.

[10] C'est, à l'époque, le monument le plus célèbre de Velletri: Misson, en peu de lignes (II, p. 64), disait déjà l'essentiel que développeront les voyageurs: la situation magnifique, les appartements remplis d'antiques, et surtout le très bel escalier de Martino Longhi, avec ses rampes de marbre que dessi-

architecte de réputation n'est pas éloigné de cette seconde place;
le portique et l'escalier sont décorez de collonnes et d'autres embellissemens de marbre blanc dont sont aussi les rampes qui sont
fort larges et à trois étages. J'aperçus aussi des collonnes polies de
marbre granite gris d'Égypte. J'y trouvois [189 r] des basreliefs antiques de marbre, représentant des enfans, et d'autres des sujets d'Hercule, de très beaux piédestaux de brèche sous d'autres statues antiques
dans la cour, et des autels, surtout un dédié à Cybèle; il y a aussi
beaucoup de funéraires dans le jardin avec des bustes et des cercueils de marbre aussi antiques, ornez de basreliefs choisis.

Enfin, l'on jouit de la terrasse d'une charmante vue qui dédommage du désordre où sont à présent les appartemens, où il n'y a
que quelques anciens meubles fort négligez. Au reste, l'on voit encore dans cette ville quelques fontaines d'un dessein assez passable.

Après avoir passé *Piperno*, nous trouvâmes, à cinq mille au
de là, un pont antique qui attire l'attention des antiquaires. De
là, l'on entre dans l'ancienne *via Appia* [11], dont l'on trouve des ves-

nera Delannoy. Ce palais fut détruit lors de la dernière guerre et ses jardins,
qui faisaient l'admiration de Lalande (V, p. 390), sont actuellement ceux du
Parco Comunale.

[11] On notera que Delamonce qui décrit longuement les villes (Velletri,
Gaète etc...) passe rapidement sur les « curiosités » qui se trouvent sur la
route ou à proximité d'elle. Les voyageurs vont souvent à Corè (l'actuelle Cori)
dont les antiquités sont très célèbres (cf. Delannoy qui les décrit et les dessine
dans son *Voyage de Naples et de Paestum*, à paraître); ils évoquent les étapes
de la route (Tre Taverne, Fossa Nova) et rappellent la richesse de Setia antique
(Sezze Romano) que Delamonce va évoquer à la fin du paragraphe. On souligne en général que la route est la route haute qui évite les marais pontins
alors dangereusement insalubres et qui retrouve en partie le parcours de l'antique Via Appia. Misson, lui aussi (II, p. 68), après Piperno (l'actuelle Pri-
verno a repris le nom ancien, mais fut reconstruite après avoir été complètement détruite au Moyen Âge), consacre un long passage à la description de la
Via Appia. On rappellera ici combien le XVIIIe siècle admirait les voies romaines, leur technique parfaite et leur rôle dans la diffusion de la civilisation
en Occident. Cf. le dessin qu'en donne Piranèse, avec un long commentaire
dans les *Antichità romane*, III, 6, reproduit dans *Piranesi, Catalogo fondazione
Cini*, pl. 182; cf. aussi l'enthousiasme de Misson: « de tout ce que j'ai vu
jusqu'ici des monuments antiques, il n'y en a point à mon gré qui méritent
tant d'être admirés que ces fameux chemins » (II, p. 70). C'est le mot « ad-

tiges, et qui conduisoit de Rome à Naples; mais, comme le pavé en est composé de gros quartiers de grais, plus grands que ceux de Paris, leur extrême dureté et leur polis est si incommode particulièrement pour les chevaux, surtout lorsqu'il a plu, que l'on est obligé de s'en détourner souvent. Je remarquay qu'il étoit bordé, de part et d'autres, de petites banquètes de la même pierre, et que, tout compris, il n'a qu'environ trois toises de largeur, ce qui me surprit beaucoup. L'on trouve grand nombre d'inscriptions antiques presque dans tous les lieux habitez de cette route, et j'en vis surtout à *Sessia* d'assez remarquables et, çà et là, quelques autres antiquitez.

Terracina surtout en fournit qui méritent de l'attention [12]. On y voit encore un mur circulaire qui faisoit partie de l'ancien port, avec plusieurs anneaux de pierres trouées, où l'on attachoit les cables des vaisseaux. J'y remarquay aussi sur le chemin du rivage un grand rocher escarpé [13], tout taillé au ciseau à grands frais par les romains:

mirable » qui vient également sous la plume de Montesquieu: « Cette voie *Appia* était admirable... » et Montesquieu consacre une demi-page à expliquer la technique de sa construction (p. 717).

[12] Terracine a toujours été une étape obligée sur la route de Rome à Naples: c'est la dernière ville des États du pape et la frontière se trouve à la sortie même de la ville. Les voyageurs insistent plus ou moins longuement sur sa position stratégique exceptionnelle (on l'appelle parfois les « thermopyles d'Italie »), parce que les monts Ausoniens descendent à cet endroit jusqu'à la mer. Elle occupe le centre de la baie qui s'étend du mont Circeo jusqu'à Gaète (le *sinus Amyclanus* des anciens). Les voyageurs se posent volontiers la question du port, qui, à leur époque, est plus ou moins à l'état d'abandon: selon Misson (ajout à la première édition), « Terracine, quoique au bord de la mer, n'a point de port. On dit que Sixte V en avait fait commencer un, mais les Espagnols l'empêchèrent d'exécuter ce dessein » (Misson, II, p. 74). Lalande (V, p. 399) parle du port antique dont on reconnaît encore parfaitement la forme et signale l'existence des « anneaux de pierre qui servoient pour amarrer les vaisseaux ».

[13] Cette grandiose entaille pratiquée dans le rocher (on l'attribue en général à Trajan) pour permettre le passage au bord de la mer de la Voie Appienne a fait l'admiration de tous les siècles: Peruzzi et Sangallo l'avaient dessinée et, de même, elle suscite la curiosité et l'intérêt des voyageurs qui lui consacrent des commentaires assez longs: cf. Misson (Misson, II, p. 73-74); Caylus (Caylus, p. 196); Delannoy (*Voyage de Naples*). Le rocher s'appelait et

il est de 82 pieds et demis de longueur; l'on y voit douze tables où sont gravées, en lettres majuscules, des chifres depuis X jusqu'à CXXII, dont on ignore le motif. Ces chifres environent une grande arcade taillée de même dans le roc, de 83 pieds de largeur, de 26 pieds de hauteur sur 34 de profondeur, dont le fond est formé en niche. L'on y voit, à l'entrée, les trous des gonds et barres des portes qui servoient à fermer cet hangard, fait sans doute [189 v] pour l'usage de la marine. Et il y a, aux environs, un coridor de communication, taillé aussi dans le roc. J'eus la curiosité de monter à la ville; j'y trouvay un superbe monument ancien [14] qui, j'avoue, me dédomagea amplement de mes pas. Il ne me fut pas difficile de reconnoître que c'étoit un temple quaré long. Il est construit de marbre blanc et décoré de grandes collonnes canelées et engagées d'un tiers dans le mur qui est aussi en paremens de marbre, dont certaines tables sont construites d'une façon singulière, qui est celle que *Vitruve* apelle *opus incertum*, ce qui exprime la différence de la construction ordinaire, en cours d'assises paralelles, avec des joints

s'appelle encore Pisca Marina ou Pesco Montano. Des chiffres gravés indiquent, du haut ver le bas, la hauteur de la roche qui fut coupée ou évaluée (on l'évalue à 13.600 m³ environ: cf. Coarelli, *Lazio*, p. 325). Les chiffres conservés vont aujourd'hui de X à CXX, mais il y avait dans la partie inférieure deux gradins aujourd'hui disparus avec, comme dernier chiffre, CXXIIX. Ainsi s'explique peut-être la lecture inexacte de Delamonce CXXII. On lira encore avec intérêt pour tout ce qui concerne la Terracine antique le livre de M. R. de la Blanchère, *Terracine*, 1883, dont on vient de faire une réédition.

[14] C'est de tous les récits de voyage que nous avons pu consulter la plus longue description des restes de ce « superbe monument ancien »; la plupart des voyageurs, en visitant la cathédrale, rappellent qu'elle est construite sur les ruines d'un temple antique, dont les structures encore visibles sont décrites rapidement par Misson (Misson, II, p. 82) et Caylus (Caylus, p. 195). Au contraire, Delamonce va visiter non pas la cathédrale mais le temple romain (il fait référence à la cathédrale seulement à la fin, et en passant); on notera, comme toujours, son intérêt pour les techniques de construction antiques et la précision de ses descriptions. Cet édifice, probablement contemporain de l'*Ara Pacis* à Rome, est souvent interprété comme un temple de Rome et d'Auguste, mais il est plus probable qu'il s'agissait du Capitolium de la ville dont le plan s'inspirait du temple de Jupiter Capitolin à Rome (cf. Coarelli, *op. cit.*, p. 315).

montants; celle-ci, au contraire, quoique taillée en paremens par devant, a des joints tortueux selon le contour baroque des quartiers de marbre qui les composent, auxquels les autres blocs se joignent comme les pièces de marqueterie en bois, ce qui m'a paru d'un travail surprenant. L'on en voit ici à Lyon [15] un exemple très curieux à l'ancien fronton qui est derrière le sanctuaire de l'église de St. Étienne, du côté de la cour. Ces belles collonnes qui paroissent d'ordre corinthien sont élevées sur un grand soubassement, ou piédestal continu, qui donne beaucoup de noblesse à cet édifice, et dont le nud du mur est tout embelli de refends ainsi que celuy dans les intervales des collonnes au-dessus et au-dessous de la platebande ravalée, ornée de rinceaux qui est sur l'inscription d'un côté du temple où est le nom de l'architecte [16]. Je trouvay cette singularité d'autant plus rare que je n'en avois encore point vu d'exemple dans aucun édifice antique de Rome, ny d'ailleurs. Elle porte: *C. Postumius. C. F. Pollio architectus.* [Je crus d'abord que c'étoit le nom de l'architecte que je viens de citer qui nous a laissé un traité de son art, dont M. Perache nous a donné la traduction, avec des sçavantes notes, mais la différence des surnoms me fit entendre que

[15] C'est l'élément de comparaison utile à donner aux membres de l'Académie: pour faire saisir ce que peut être le tracé « tortueux » des joints entre des pierres de réemploi de la cathédrale de Velletri, Delamonce évoque pour ses confrères lyonnais un « fronton », sans doute le fronton de l'abside de l'église de St. Étienne qui, de fait, donnait sur une cour pavée (cf. A. Sachet, *Le pardon annuel de la St. Jean et la St. Pierre de Lyon*, 1914, I, p. 43-48). Les réemplois n'étaient pas rares dans cette église.
Nous devons ces renseignements à l'amabilité et à la compétence de J. F. Reynaud (qui a dirigé une fouille sur ce site de 1972 à 1978).

[16] Cette inscription aujourd'hui détruite se trouvait en effet insérée dans un mur de la cathédrale; elle évoquait sans doute l'architecte du temple et peut-être du forum tout entier: cf., avec le commentaire de Mommsen, *CIL*, X, 6339. Ce Postumius est également connu par une inscription de Formies et nous savons que c'était le patron de l'affranchi Cocceius qui fut le constructeur des tunnels qui reliaient le lac d'Averne et Cumes, ainsi que Pouzzoles et Naples: cf. Coarelli, p. 319. On notera que Misson (Misson, II, p. 73), au lieu de Postumius lit Sempronius, erreur reprise par Caylus, p. 195 qui, comme souvent, copie purement et simplement Misson. Sur Postumius et son œuvre, cf. de la Blanchère, *op. cit.*, p. 129-132.

ce n'étoit pas le même] [17]. Ce curieux monument tout couroné de corbeaux, aussi de marbre en forme de consoles, n'est pas à beaucoup [190 r] près dans son entier, puisqu'il n'en reste guère que le tiers, et que le haut depuis les chapiteaux est tout ruiné, mais l'on a réparé l'intérieur pour en former la cathédrale; aussi n'y voit-on rien d'ancien; j'y observay seulement quelques tableaux de bonne main. Or, après vous avoir parlé, Monsieur, des curiositez de Terracina, il faut vous entretenir un moment du repas que j'y fis, dont je conserveray toujours la mémoire, et pourquoi n'en parlerois-je pas en ayant de bons exemples. Comme l'on nous avoit fort vanté la bonté du poisson de cette contrée, assaisoné aussitôt après qu'il est tiré de la mer, nous en fîmes pêcher expressément de cinq ou six sortes; on nous le servit peu de tems après à dîner, si bien conditioné que j'avoue n'avoir jamais rien mangé de plus exquis dans ce genre en France, ny ailleurs, en sorte que je rendis justice à la délicatesse du goût des anciens dont je n'avois pas une grande idée qui nous ont loué avec beaucoup d'emphase l'excellence du poisson du voisinage de Naple [18].

Je vous diray à présent qu'étant à Mola, au lieu de poursuivre directement notre voyage jusqu'à Naple, nous nous détournâmes un peu pour aller à Gaète [19]. Nous nous embarquâmes pour cet effet sur une chaloupe qui nous y conduisit en peu de tems. Différens motifs de curiosité nous engagèrent d'y aller. Heureusement un de

---

[17] Ce passage a été barré par l'auteur, mais il reste parfaitement lisible.

[18] Commentaire classique, s'agissant du golfe de Terracine et de Gaète: cf. Misson, II, p. 79.

[19] C'est ce qu'avait fait également Misson (Misson, II, p. 80) dont les motifs de curiosité sont pratiquement les mêmes que ceux de Delamonce. Il était de règle de prendre une petite barque pour faire le voyage, comme l'explique également Caylus (Caylus, p. 197); (on se rappellera que Mola est l'ancien nom de Formies).

Cette tradition du passage en barque de Mola à Gaète est ancienne. C'est déjà ce qu'avait fait Bouchard (en 1632); ce dernier précise que, pour l'aller et retour, on paye « deus jules par teste » et que, par chance, il était dans la compagnie d'un gentilhomme espagnol, faute de quoi il n'aurait pu entrer dans la ville « où l'on ne recevoit lors aucun estranger » (Bouchard, II, p. 173).

mes compagnons de voyage qui venoit de Vienne étoit muny de bonnes lettres de recommandations pour les principaux officiers du Royaume de Naple qui étoit alors ocupé par l'empereur [20]; ainsi nous eûmes toute la liberté possible de voir dans la citadelle ce qu'il y avoit de plus curieux. Pour le premier motif de notre promenade, nous y vîmes le squelète du fameux connétable de Bourbon [21], tué au siège de Rome, auquel les papes, n'ayant pas voulu acorder la sépulture, il fut aporté dans ce lieu. Il est renfermé et placé debout dans une armoire, vêtu à l'espagnole, en corset et en toque de

[20] C'est en 1707, à la suite de la guerre de succession d'Espagne, que le royaume de Naples devint possession autrichienne: l'empereur est alors Charles VI.

[21] L'histoire est fameuse: celle d'abord de la mort du Connétable de Bourbon sur les murs de Rome, lorsque, aux ordres de Charles-Quint, il attaquait la ville capitale du pape Clément VII (on se rappellera que Stendhal raconte cette mort avec délectation; nous sommes en 1527, et les voyageurs soulignent souvent que le sac de la capitale des États de l'église fut alors le fait d'un chef de guerre français: cf. Stendhal, *Voyages*, p. 744 et 855-857); celle ensuite de sa « sépulture » à Gaète: comme il était excommunié, il ne put être enterré à Rome, mais son corps fut transporté à Gaète, où il fut embaumé « et mis dans une niche à côté de la chapelle. Le prince d'Ascoli, gouverneur de cette forteresse en 1628, le fit placer ... dans une chasse ... habillé de velours vert avec des galons d'or, debout, l'épée au côté, botté et éperonné ... » (Lalande, V, 437). Toujours suivant le même Lalande, c'est un Bourbon de Naples qui le fit enterrer pour donner une digne sépulture à un prince de sa maison. C'était, au temps de Delamonce, une des principales curiosités de Gaète que les officiers de la garnison ne laissaient pas toujours voir aux voyageurs, surtout s'ils étaient français (cf. Caylus, p. 197). Bouchard avait déjà décrit longuement « Bourbon dans sa grande armoire ... debout, en pieds, vestu d'un habit de velours verd chamarré d'or à la françoise ... La chair se voit encore si entière partout que l'on recognoist tous les linéaments du visage, et les yeus qu'il a ouverts; le menton et la mâchoire inférieure est quelque peu gastée » (Bouchard, II, p. 173).

Le corps embaumé du Connétable de Bourbon est surtout, cela va de soi, une « curiosité » pour les Français. Rien de plus normal: les auteurs des guides et des récits de voyage insistent davantage sur ce qui concerne, de près ou de loin, leur propre pays (cf. L. Di Mauro, *L'Italia e le guide turistiche*, dans *Annali 5*, p. 380). Cependant on retrouve notre Connétable dans les guides locaux, par exemple dans la *Storia di Pozzuoli* de P. Sarnelli, 4e éd., 1770, p. 169.

velours violet, avec des vers en espagnol et en mauvais françois. À juger de la proportion de ses ossemens, il paroît que ce prince étoit [190v] d'une aussi riche taille que Louis 14. Nous allâmes ensuite à la cathédrale ou au dôme qui étoit dans la ville pour y voir une curiosité qui est le second motif de notre partie de Gaète. Elle est très remarquable, et en vérité bien digne de l'estime qu'en ont toujours fait les vrais connoisseurs, entr'autre le célèbre *Poussin*, l'*Apelle* françois, et par conséquent, si capable d'en juger. C'est un fort beau et grand vase de marbre blanc, très bien conservé, d'environ trois pieds et demy d'hauteur et d'environ deux pieds et demy de diamètre, dont le dessein de son profil ou de la forme en est aussi gracieux que les figures en basrelief qui le décorent sont d'un grand goût; aussi est-il d'un sculpteur grec dont le nom y est gravé en ces termes: *Salpion atenios episoe* [*sic*] [22]. Tous les amateurs des beaux-arts sçavent combien les artistes de cette nation étoient supérieurs en habilité à ceux des romains, qui faisoient gloire de les imiter, quoique d'assez loin [23]. Or ce que j'y trouvay ici de singulier c'est que, nonobstant que cette sculpture représente distinctement la naissance de Bacus et où l'on y voit un nombre de femmes, de Bacantes, et quoiqu'en conséquence le peuple même nomme ce vase *la tassa di Baco -la coupe de Bacus*, croiriez-vous cependant qu'il sert de fonts baptismaux? Quant aux lions aussi de marbre qui luy servent de suport, ils sont d'un fort mauvais ciseau gothique, n'en déplaise à *Misson* qui, dans sa description d'Italie, les supose an-

[22] C'est le célèbre vase de marbre blanc qui se trouve actuellement au Musée National de Naples. C'est l'œuvre de Salpion, le sculpteur néo-attique de l'époque d'Auguste; le thème lui-même (enfance de Bacchus) explique qu'il ait pu servir de fonts baptismaux, ce qui surprend Delamonce. En effet la scène avait été interprétée comme représentant la naissance de Jésus. On notera la passion un peu naïve de Delamonce pour tout ce qui est antiquité grecque. Soulignons au passage que la transcription qu'il donne de la célèbre inscription « Salpion athenaios epoiese » montre bien qu'il ne savait pas le grec.

[23] Le jugement est à retenir: tous les auteurs du temps sont unanimes à opposer le « gracieux » de l'art grec à la grandeur ou à la magnificence de l'art romain. Cela est vrai aussi bien pour l'architecture que pour la sculpture, ce qui explique la surprise des « connoisseurs » au moment de la découverte de Paestum.

tiques et de la même pièce du vase, mais l'on sçait que cet auteur avoit plus de litérature que de discernement dans les beaux-arts [24].

Au reste, cette église qui a été sacrée par le pape Pascal II est dédiée à St. Érasme, son évêque et martir, dont le corps est conservé dans la *Confession* ou chapelle soutairaine, sous le maître autel, selon l'usage commun d'Italie. Le tableau du saint de l'autel supérieur est du célèbre *Salvator Rosa*, peintre et poète fameux. On voit encore dans cette église un beau tableau d'*André de Salerne* et une Notre Dame de pitié de *Paul Véronèse* [25]. Vers le clocher, qui a un belvéder à la pointe, qui est de marbre, il y a une statue de vieillard avec un serpent et une tête de mort qui paroît antique [26]. La plupart des toits des églises, des clochers et de quelques maisons de cette ville sont construits en voûtes ou coupoles et donnent beaucoup de ressemblance, vus de loin, aux villes turques de l'Arabie.

[191r] Vous serez peut-être bien aise, Monsieur, que je vous dise maintenant un mot du lieu où est la curieuse inscription de *Plancus* [27],

---

[24] Jugement sévère et injuste dans ce cas précis. De fait, Misson écrit simplement que « les quatre lions qui le supportent ne répondent pas à la magnificence du vase » (Misson, II, p. 83).

[25] Ces attributions sont classiques au XVIIIᵉ siècle. Cf. encore Lalande, V, p. 438.

[26] Bref résumé d'une longue description de Misson (Misson, II, p. 83-84) qui suppose que ce vieillard avec son serpent représente Esculape; cf. aussi Lalande, *ibidem*, p. 438.

[27] On notera que, avant même d'évoquer ou de décrire le célèbre Mausolée de Munatius Plancus, Delamonce cite l'inscription qui figure au-dessus de la porte d'entrée: cette dernière rappelle en effet que ce personnage célèbre de l'époque d'Auguste fonda en Italie la colonie de Bénévent et en Gaule celles de Lugdunum et de Raurica, c'est-à-dire de Lyon et d'Augst (près de Bâle). Il est vrai que ce Mausolée évoque d'une certaine manière la tombe de Cecilia Metella, encore qu'il s'inspire beaucoup plus directement du Mausolée d'Auguste pour souligner les liens étroits qui existaient entre Plancus et Auguste. Cf. sur ce monument R. Fellmann, *Das Grab des Lucius Munatius Plancus bei Gaeta*, Basel, 1958; G. Iacopi, *L. Munazio Planco e il suo mausoleo a Gaeta*, Milano, s.d. Misson (II, p. 81) donne une figure du monument, mais l'évoque très brièvement dans le texte, se contentant de rappeler que c'est sur proposition de Munatius Plancus qu'Octave prit le surnom d'Auguste, plutôt que celui de Romulus.

3. Vase de marbre blanc signé Salpion (de Misson, II, p. 83).

troisième motif de notre promenade à Gayète. Vous comprenez bien que l'inscription dont je parle est celle où est faite mention des colonies romaines qu'il amena à Lyon et à Bâle, en Suisse; elle est encore très conservée et fait partie d'une grande tour ronde, apellée, je ne sçay pourquoy, la *Tour de Roland*; toute construite de marbre blanc, ornée de bossage et d'une belle corniche, étant précisément semblable à celle de Métellus, qui est hors de Rome, sur le chemin de St. Sébastien. Celle-ci est sur une hauteur, environ à un mille de la ville; et l'une et l'autre étoient certainement des monumens funéraires, construits à grands fraix.

Le roc fendu qui est dans ce voisinage fut le 4e sujet de notre curiosité [28]. L'on prétend dans ce païs que ce grand rocher se fendit perpendiculairement au moment que le Sauveur expira en croix; et c'est dans ce sens que l'on y a dressé au-dessus une chapelle avec un petit pont de bois pour traverser d'un rocher à l'autre. L'on affecte d'y montrer l'empreinte de deux mains sur une surface de ces rochers que l'on suppose miraculeuse; l'on raconte qu'un incrédule françois, doutant du miracle de cette fente, en fut puni par le risque d'y tomber et qu'alors en s'apuyant contre ce roc, la forme de ses mains s'y gravèrent; malheureusement cette superstitieuse fable est bien démentie par l'ignorance du mauvais ciseau gothique qui l'a sculptée: mais nous nous gardâmes bien de faire cette remarque à haute voix, car on n'y entend point raillerie sur cet article; je ne doute pas au reste que cette fente du rocher ne soit un effet naturel de quelque tremblement de terre qui ont été toujours fréquents dans le royaume de Naple. J'oubliois de vous parler de deux chemins antiques [29] dont il subsiste encore des débris qui ne sont

---

[28] Autre « curiosité » célèbre de Gaète, qui était aussi un lieu de pèlerinage, puisqu'il y avait une chapelle dédiée, entre autres, à la Trinité. On remarquera l'ironie de Delamonce devant ces témoignages de la crédulité ou de la piété populaire. Misson raconte que le chapelain du lieu avait voulu rompre avec un marteau des morceaux de rocher pour les lui donner comme reliques et qu'il avait été scandalisé de son refus (II, p. 82).

[29] Étrange repentir: c'est l'association d'idées avec la Voie Appienne et l'intérêt de nos voyageurs pour les réalisations des Romains dans le domaine des routes qui amènent Delamonce à rajouter, hors de propos, cette allusion à

qu'à quelques lieues de *Terracina* et presque parallèles aux deux bords du Tybre, l'un que l'on apelloit via *Portuensis* alloit à Porto et l'autre via *Ostiensis* conduisoit à Ostie; ils étoient semblables à la via *Apia*.

[191 v] Enfin, étant retourné à *Mola*, nous poursuivîmes notre voyage après avoir remarqué beaucoup d'antiquitez sur les rives de la mer, entr'autre celle que l'on nomme encore l'Académie de Cicéron [30] qui, dit-on, y avoit un lieu de plaisance. Après avoir passé Trayetto [31] où il y a un acqueduc antique assez ruiné, nous vîmes à la gauche les tristes débris de la ville de *Minturne* qui avoit quelque rang du tems des Romains et l'on remarque dans le voisinage une tour antique que l'on dit être la sépulture de Scipion l'africain ou de quelque autre consul du même nom.

Nous espérions en vain que nous trouverions à Capoue [32] une

ces deux routes qui effectivement sont parallèles aux rives du Tibre, donc distantes de Terracine.

[30] On l'appelle encore aujourd'hui la villa de Cicéron: c'est une grandiose villa de la fin de la République (avec des nymphées et des portiques) dont on ne connaît pas le propriétaire, sans aucun doute un de ces grands personnages de l'époque qui possédaient des villas de plaisance sur le bord de la mer à Formies (cf. Coarelli, *Lazio*, p. 365).

[31] Notes rapides, qui ne soulignent pas l'essentiel; Trayetto ou Traetto était le nom de la Minturne moderne, fondée après la destruction de la Minturne antique par les Lombards à la fin du VIe siècle; le nom était en liaison avec le passage difficile (*ad Trajectum*) du Garigliano que, à l'époque, les voyageurs franchissent souvent grâce à un bac (cf. Misson, II, p. 8). Bouchard signalait que, de son temps, on avait construit un pont de bois « pour remédier aux extorsions que faisoient aux passagers les basteliers sur les barques » (Bouchard, II, p. 177). Évocation succincte de Minturne, ses aqueducs, ses monuments (l'amphithéâtre et les murailles étaient déjà célèbres).

[32] Là encore passage trop rapide dû sans doute à l'horaire que le Procaccio imposait aux voyageurs. On dîne dans une auberge (c'est la seule indication matérielle que contient le voyage). On voit très vaguement la Capoue moderne, Delamonce cite simplement quelques noms d'églises, et on regrette de ne pouvoir aller jusqu'à Santa Maria Capua Vetere où se trouvent les restes de la Capoue antique. Néanmoins, la hâte n'explique pas tout: les autres voyageurs passent vite eux aussi sur cet ensemble pourtant passionnant que représentent les deux villes voisines. On notera par exemple que les réalisations spectaculaires de Frédéric II, en partie détruites, il est vrai, n'intéressent per-

L. MUNATIUS. &c.

L. MVNATIVS·L·F·L·N·L· PRON·
PLANCVS· COS· CENS· IMP· ITER· VII· VIR· EPVL·
TRIVMP· EX· ROETIS· AEDEM· SATVRNI·
FECIT· DE· MANIBIS· AGROS· DIVISIT· IN· ITAL·
BENEVENTI· IN· GALIA· COLONIAS· DEDVXIT·
LVGDVNVM· ET· RAVRICAM·

Lucius Munatius Lucii filius Lucii nepos Lucii pronepos Cos
Cencor. Imp. Iterum. Septem. Virepulonion triump. ex Roetis.

4. La Mausolée de Munatius Plancus (de Misson, II, p. 81).

partie des ruines de l'ancienne ville, puisqu'elle est éloignée de quelques milles de la nouvelle qui contient plusieurs églises fort décorées
telle que le Dôme, l'Annonciade, les Jésuites, les Jacobins et les
Cordeliers, le palais archiépiscopal et l'hostel de Ville qui ont de
l'aparence. Et il y a une fontaine ornée de statues dans la grande
place, mais nous trouvâmes partout des tristes marques du dernier
tremblement de terre qui avoit fort endommagé cette ville. Nous
trouvâmes néanmoins, à l'entrée de la cour de l'hostelerie où nous
dinâmes, une statue antique de marbre d'un consul, mais fort ruinée.
Quant à l'ancienne ville, au-delà du petit fleuve Volturne, l'on
nous assura qu'elle étoit toute remplie de magnifiques débris de
temples, de théâtres, d'aqueducs, de tombeaux et de statues. De là,
l'on trouve, tout aux environs, la campagne apellée heureuse [33]; il
semble en effet que c'est un vray paradis terrestre puisqu'on y voit
toute cette contrée remplie de gros orangers, plantez en pleine terre
comme nos pommiers et tout chargez de fruits déjà meurs dans
cette saison: aussi tout cela présente-t-il le plus beau coup d'œil
que l'on puisse imaginer.

L'on trouve ensuite deux chemins, l'un qui conduit directement de Capoue à [Naples] et l'autre par *Aversa* [34], autre ville épisco-

---

sonne. On notera que Bouchard visite la Capoue moderne à l'aller (II, 179)
et qu'il s'arrête au retour pour visiter la Capoue antique, à laquelle il consacre
plusieurs pages (II, p. 455-457). Pour la Capoue moderne, il évoque lui aussi
cette « grande et belle ville, rues larges... quantité de palais, places, fontaines
et belles églises » (II, p. 17). À ces jugements favorables, on opposera la
phrase lapidaire de Montesquieu: « Il n'y a aucune beauté à Capoue: les églises et les bâtiments sont assez communs » (p. 719).

[33] Thème traditionnel en même temps que réalité objective, cette évocation de la Campanie heureuse deviendra chez tous les voyageurs la page obligée
avant l'arrivée à Naples. Montesquieu, qui fait le voyage de Naples dix ans
après Delamonce, précise que dans cette belle campagne il n'y a plus les
orangers dont parlent les « relations » précédentes, mais que les chemins très
bien entretenus passent au milieu de terres très fertiles, avec les vignes dans
les grands peupliers (p. 719).

[34] C'est la dernière grosse ville avant Naples. La plupart des voyageurs
noteront plus tard qu'il s'agit de l'ancienne Atella, célèbre autrefois par les
Atellanes, les fameuses farces de l'antiquité.

pale, où il y encore quelques églises dont l'intérieur est fort embelly et quelques palais. Le dôme est un grand vaisseau avec la chapelle de la S.te Vierge fort décorée.

Au reste, lequel des deux chemins que l'on choisisse, ils sont beaux et larges et le plus court est aussi le plus droit de sorte qu'il anonce fort avantageusement la ville de Naple.

Lorsque nous començâmes à la découvrir, il me sembla d'abord que j'y arrivois le lendemain d'un grand ouragan qui en auroit enlevé tous les toits des maisons[35] par ce qu'elles ne sont couvertes qu'en terrasses ou *belvéders,* où ceux qui les habitent vont prendre le fraix tous les soirs pendant les chaleurs.

[192 r] Enfin, nous entrâmes dans Naple avec bien de l'impatience de voir l'intérieur de cette fameuse ville; mais les pierres grises, dont les maisons et autres édifices sont construits et qui se noircissent beaucoup à l'air, nous présentèrent d'abord des objets d'autant plus sombres et mélancoliques que les rues[36] sont fort étroites à la réserve de deux, et les maisons à proportion fort élevées. L'on nous assura qu'on les faisoit ainsi pour y procurer de l'ombre et de la fraîcheur pendant les trois saisons chaudes de ce climat, mais j'en trouvay, à ce prix, l'expédient fort désagréable.

Je n'y vis point de *femmes dans les boutiques*[37], à l'exception

---

[35] Même remarque chez de Brosses (« tous les combles des maisons sont en terrasses. Cela ne me plaît point... Il me semble toujours qu'on vient de leur couper la tête », p. 414) et, un demi-siècle plus tard, chez Sade qui commence ainsi son chapitre sur Naples: « Le premier coup d'œil qui frappe le voyageur en entrant dans Naples sont les maisons plates par le haut et construites ainsi pour y ménager des terrasses que l'extrême chaleur du climat rend indispensables l'été » (Sade, p. 381). Bouchard déjà avait noté, comme éléments caractéristiques de la vue d'ensemble de Naples, les maisons construites en pierres sombres, les rues étroites, et surtout les toits en terrasses, qui, heureusement, rendent la ville « un peu plus gaye et jolie, principalement à cause des créneaux et merlets qu'ils mettent alentour » (Bouchard, II, p. 242).

[36] Première correction apportée à l'enthousiasme d'un Misson selon qui « les rues sont droites et larges pour la plupart » (Misson, II, p. 89). Les deux seules rues qui, selon Delamonce, contrastent avec les ruelles étroites sont la via Toledo et la via Monteoliveto (cf. *infra*, p. 95-96).

[37] Cette première impression est fréquente chez les voyageurs français qui

5. Plan de Naples (de D.A. Parrino, 1691).

d'une seule qui disparut sur le champ; encore nous dit-on que c'étoit une des plus aprivoisées par la politesse des officiers françois pendant que Philippe V occupa cette ville.

Je remarquay un air fort misentrope et même sauvage parmy les habitants des deux sexes et en général de toute sorte d'état et de condition par un manque de sçavoir vivre causé sans doute par le défaut d'une société honnête, pratiquée à présent dans la plus grande partie de l'Europe civilisée.

Je fus sourtout très choqué de la rusticité de quelques citoyens, même gens de boutique, puisqu'ayant voulu leur demandé la route des endroits où je voulois aller, ils ne me répondirent que par un mouvement de la lèvre inférieure et du menton par lequel ils m'indiquèrent le côté par où il falloit tourner, mais sans proférer une seule parole, ny se découvrir.

J'y vis nombre d'hommes, tels que gens de palais, habillez de noir à l'espagnole avec la *golille* [38].

Nous rencontrâmes en divers quartiers plusieurs escouades de cinq ou six *soldats allemands*, la bayonette au bout du fusil et nous aprîmes que c'étoit pour empêcher, jour et nuit, les atroupemens du petit peuple qui y est nombreux, mutin et toujours porté à la révolte.

L'on me fit sur ce sujet le récit d'une réponse bien extraordi-

insistent sur l'air triste de la ville. Selon Misson (II, p. 116-117) « On n'y voit point de femmes... et c'est cacher ridiculement la plus belle moitié du monde ». On insiste de même volontiers sur la rusticité des habitants; la critique la plus dure de la société napolitaine, jugée à travers son aspect extérieur, se trouve sans doute chez Sade (Sade, p. 439-457).

[38] Autre notation fréquente chez les voyageurs: Misson souligne que « les habits et les équipages sont à Naples d'un noir ou d'un obscur qui attriste les yeux » (II, p. 117, notation corrigée par un ajout qui précise que les choses ont changé). La golille est une sorte de petit col blanc (cf. à ce sujet, pour tout ce qui touche les problèmes de la mode, A. Cirillo Mastrocinque, *Moda e costume*, dans *Storia di Napoli*, VI, 2, p. 773-807, et notamment p. 778 pour la golille; cf. ici fig. 4). Bouchard consacrait quatre pages à décrire l'habit des nobles et des cavaliers; parmi les nombreux détails qu'il donne, figure la *gogliglea spagnuola* (II, p. 272).

naire du Comte de Taun [39], alors viceroy pour l'Empereur; après son arrivée à Naple, tous les tribunaux l'allèrent saluer suivant la coutume, et entr'autres l'élu du peuple à la tête du corps de ville qui lui demandèrent sa protection pour les habitants; il leur répondit fort sèchement *si si, pane e bastone, ouy, ouy du pain et le bâton,* [192 v] leur promettant l'abondance du pain et ne faignant pas de l'autre de leur faire connoître qu'il les traiteroit avec sévérité.

Aussi les privilèges des immunités des églises pour les assassins qui s'y retirent ne l'empêchoient pas de les faire prendre au pied de l'autel pour les faire châtier sur le champ. Je fus même fort surpris de voir des seigneurs du premier rang se morfondre dans son antichambre.

Puisque je suis sur le chapitre du viceroy, il est juste de vous parler de son palais [40] qui est aujourd'hui celuy de *Dom Carlos,*

---

[39] Sur l'époque où le Comte de Daun fut vice-roi de Naples (1707-1708, immédiatement après l'installation à Naples des Autrichiens, puis 1713-1719), cf. la synthèse de G. Ricuperati dans *Storia di Napoli*, VII, p. 373-395. Sans entrer dans les détails, rappelons que c'est au moment même du séjour de Delamonce dans les années 1718-1720 que le problème des « immunités » se pose avec le plus de violence, créant une tension sérieuse non seulement entre Rome et Naples, mais entre le pouvoir autrichien de Naples et l'archevêque de la ville.

[40] Dans les guides et les récits des voyageurs concernant Naples, l'ordre suivi est plus divers et plus souple que pour Rome. Bouchard avait choisi un ordre tout à lui, puisqu'il parlait d'abord des fêtes de la Semaine Sainte, de Pâques et de St. Janvier, puis d'une excursion au Vésuve, puis des environs, avant d'aborder, très sommairement d'ailleurs, la description de « l'intérieur de la ville ». Misson (II, p. 89) commence lui aussi par les palais, mais il est très bref sur le sujet, notamment en comparaison des nombreuses pages qu'il consacre aux églises.

Selon Montesquieu, « l'escalier du Palais du Vice-Roi est le plus beau de l'Europe. Il est du dessin du cavalier Fontana. Le cavalier Bernin disoit que le palais passeroit par l'escalier » (Montesquieu, p. 722). On rappellera les éloges de de Brosses sur les architectures du Palais Royal, la façade notamment (p. 415). Il note également que « le nouveau roi vient de le faire orner en dedans et à grands frais » (*ibid.*); on sait que c'est en 1735 que Don Carlos, devenant Charles IV, monta sur le trône des Deux-Siciles. Sur les aménagements et les transformations qu'on apporte alors au Palais, cf. M. Schipa, *Per l'addobbo, l'ingrandimento e la decorazione della Reggia di Napoli alla*

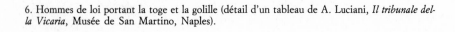

6. Hommes de loi portant la toge et la golille (détail d'un tableau de A. Luciani, *Il tribunale della Vicaria*, Musée de San Martino, Naples).

Roy des deux Siciles. Il est assez aparent, vaste et simétrique au dehors et au dehors [*sic*], mais guère commode, n'ayant aucun de ces dégagemens qui sont maintenant si fort en usage à Paris.

C'est le chevalier *Dominique Fontana*, architecte de *Sixte-Quint* qui en donna le dessein; il est orné de trois ordres de pillastres, mais les trois avancorps, tant ceux des côtés que celuy du milieu, sont ornez de collonnes antiques de granite rouge d'Égypte qui les distinguent; l'intérieur est aussi orné de deux rangs d'arcades acompagnées de pillastres, le tout construit en pierre de taille et partie en marbre.

L'on m'a assuré que *Dom Carlos* a fait faire des changements et des augmentations considérables, de même qu'au Palais de l'Université, dit de *l'Académie* ou des *Études* [41] dont une moitié étoit

---

venuta di Carlo di Borbone, dans *Nap. Nob.*, XI, 1902, p. 109-111. La formule utilisée par Delamonce (« l'on m'a assuré... ») ne permet pas de dire s'il est resté personnellement en contact avec des relations ou des amis napolitains.

[41] L'histoire du Palazzo degli Studi, l'actuel Musée Archéologique National, est connue: les origines du bâtiment remontent à la fin du XVIe siècle, quand un vice-roi voulut construire hors de la Porte de Constantinople un grand manège pour la cavalerie; le projet fut vite abandonné, à cause du manque d'eau, dit-on, et on décida d'utiliser les locaux non terminés et pratiquement déjà abandonnés pour y installer l'Université: c'est l'état qu'a vu et que décrit Bouchard au printemps de 1632: « Le bastiment de Naples qui aille plus du pair avec le Palais Royal et qui le surmonteroit mesme en magnificence s'il estoit achevé sont les escholes publiques, qui sont hors la ville, proche la Porta di Constantinopoli, lesquelles ont été dessignés par le mesme architecte qui a fait le palais, c'est à sçavoir ce fameus Julio Cesare Fontana » et, après une assez longue description du bâtiment, il ajoute: « Que si ce bastiment-là étoit accompli, il n'y a point de doute que ce seroit un des plus beaus collèges de l'Europe » (II, p. 248-249). Au début du XVIIIe siècle, changement de fonction: on décide d'y installer une garnison de fantassins. C'est l'époque des voyages de Delamonce et de Montesquieu, qui écrit: « Il y a *gli Studi*, qui étoit un beau palais qui n'est que commencé. On y vouloit mettre les Académies. Les Allemands y ont mis leurs soldats, et tout ce beau bâtiment se détruit: il font cuire leur soupe sur l'escalier. Ce bâtiment est d'un bon goût d'architecture. Il y a dans la façade de belles statues antiques » (Montesquieu, p. 723). En 1735, Charles de Bourbon décida d'y remettre l'Université et ordonna les travaux auxquels Delamonce fait allusion: cf. Cl. Zucco, *Da*

construite sur le dessein de *Cosimo Fonsago* et dont le milieu est fort élevé; les dehors sont ornez de collonnes et de pillastres entre lesquels on voit plusieurs arches remplies de statues antiques de marbre et de pierre, mais l'un et l'autre sur de mauvais desseins, ces deux architectes n'ayant pas de goût pour la décoration.

Le grand siège ou Conseil de la noblesse [42], proche St. Agnello, est une vaste salle où elle s'assemble; elle est fort élevée et couverte par quatre grandes arcades, et tout le fond, opposé à la rue, est peint à fresques avec beaucoup de goût par le *Bélisaire*, peintre de répu-

---

Cavallerizza a Museo, dans *Da Palazzo degli Studi a Museo Archeologico*, 1977, p. 29-36.

[42] Ce paragraphe est à la fois précis et confus. On sait que les vingt-neuf « sièges » originels de la noblesse se sont, depuis longtemps, réduits à cinq, qui portaient les noms des cinq places, sur lesquelles ils s'ouvraient: Capuano, Montagna, Porto, Portanova, représenté chacun par six cavaliers, et le Nido représenté par cinq. Celui que l'on appelait le « grand siège » était le Capuano. Mais Delamonce désigne ainsi le « siège » agrandi du Nido (cf. note suivante) qui se trouvait près de l'église de S. Angelo (et non S. Agnello). Ces « sièges » intriguent beaucoup les voyageurs qui en parlent souvent avec ironie: Bouchard, qui cite abondamment ses sources (*L'Historia della città e regno di Napoli* de Summonte et *Il Forastiero* de Capaccio) ne tarit pas d'anecdoctes piquantes, souvent ridicules et parfois scabreuses, sur ces « sièges » et sur l'importance qu'ils ont pour la noblesse, et il décrit leurs locaux, avec beaucoup de précision: « c'est un grand portique, ou porche, ou vestibule quarré, composé d'un grand arc de pierre de chasque costé ... Le dessus est une voûte en rond, en forme de *coupole* ou dôme, et le tout est enrichi de dorures et de fort belles peintures » (II, p. 263). La description de Delamonce est également fort exacte, y compris les fresques de Bélisaire (le peintre Belisario Corenzio, vers 1560 - vers 1640) et les balustrades ornées de bas-reliefs, dont un représentait le cheval sans mors, devise du « Siège du Nil »: cf. B. Croce, *I seggi di Napoli*, dans *Nap. Nob.*, I, 1920, p. 17-19. Comme le note Croce, on confondait souvent le cheval sans mors, devise du Nido, avec le « cheval ruant », devise de la ville. Ainsi s'explique l'allusion à Traiano Boccalini (1556-1613), auteur des *Ragguagli di Parnaso*, où il critiquait violemment la domination espagnole: il mourut à Venise, empoisonné, racontait-on, sur l'ordre des Espagnols. Sur le Seggio di Nido, cf. plus récemment R. Di Stefano, *La chiesa di S. Angelo a Nido e il Seggio di Nido*, dans *Nap. Nob.*, IV, 2, 1964, p. 12-21.

Sur l'ensemble des « sièges » de la noblesse, on trouvera une série d'informations dans Celano, pas toutes anecdotiques, mais souvent assez pittoresques.

La Fonder

7. La place du Palais royal au XVIIIᵉ siécle (détail d'une vue topographique de Naples par A. Baratta). On notera au premier plan la fontaine aux trois arcades et la statue du Géant; au fond, la via Toledo.

tation; il y a représenté l'entrée [193 r] de Charlequint dans cette ville qui arriva de son tems, avec deux autres sujets qui concernent ce prince.

Les dez des balustrades de marbre sont chargez de plusieurs bas-reliefs, où l'on voit un cheval fringant qui s'échape, qui est une ancienne devise de Naple. L'on dit que le *Bocalini*, qui étoit un bel esprit qui vivoit au commencement du siècle passé, paya bien chèrement quelques saillies qu'il osa hasarder dans une satire sur *l'état languissant de ce pauvre cheval napolitain où il disoit qu'il étoit alors si exténué qu'il n'y avoit plus à craindre de ses ruades*; cette témérité contre le gouvernement de son tems luy coûta la vie.

La statue antique de marbre qui représente le fleuve du Nil [43] couché, acompagné d'un crocodile est l'ouvrage d'un excellent ciseau grec, mais la tête en est moderne, l'ancienne ayant été tronquée; cette figure est placée sur un piédestal vis-à-vis un des autres sièges de la noblesse apelé par corruption *il nido*.

Quant au Palais du seigneur Diomède *Caraffa* [44], dans la rue des libraires, il est tout remply d'antiquitez choisies qui y ont été

[43] Cette statue a une curieuse histoire: elle est romaine, et non pas grecque, et figure une personnification du Nil érigée dans le quartier des « Alessandrini ». Elle fut retrouvée lorsqu'on construisit les fondations du « siège » de la noblesse (XIIe siècle) et placée devant sa façade: le « siège » fut ainsi nommé Seggio di Nilo, ce qui devint par corruption Seggio di Nido; quand il fut reconstruit au XVIIe siècle de l'autre côté de la rue, la statue fut alors installée au milieu de la petite place. Comme elle était sans tête et qu'on se demandait en plaisantant si elle représentait un homme ou une femme, on y ajouta une tête barbue. Le dieu-fleuve s'appuie non sur un crocodile, mais sur un sphinx. Sur cette statue, cf. L. de la Ville sur Yllon, *Il Corpo di Napoli*, dans *Nap. Nob.*, II, 1893, p. 23-26.

[44] Ce palais, situé au n° 121 de la rue S. Biagio dei Librai, une des rues les plus caractéristiques de la vieille Naples, est l'un des monuments de la Renaissance les plus intéressants de la ville. Homme de courage et d'esprit, Diomède Carafa, qui l'avait fait construire, était aussi un collectionneur passionné: il avait rassemblé de nombreuses œuvres antiques dont les historiens de Naples, notamment Capaccio et Celano, ont conservé des listes. Tout est aujourd'hui dispersé. Quant à la tête de cheval en bronze que l'on considérait comme antique, elle est maintenant attribuée à Donatello (elle avait été envoyée à Carafa par Laurent le Magnifique); elle fut donnée par la famille Carafa au Musée

rassemblées, mais qui y sont aujourd'hui dans un grand désordre, puisque la plupart sont abandonées à l'insulte des mains, dont elles sont toutes mutilées.

L'on y distingue, entr'autres, une statue de Mercure dont les proportions et le dessein sont une production des plus sublimes d'un sculpteur grec du premier ordre, en sorte que cette figure surpasse même celles de ce genre les plus estimées, telles que l'Apollon et l'Antinoüs de Belvéder dans le Palais du Vatican à Rome.

L'on y voit encore quelques autres tronçons de statues qui ne sont guère inférieurs à la perfection de la précédente. L'on y voit aussi beaucoup de basreliefs de marbre qui ont de la beauté.

On trouve surtout dans cette cour un fragment très curieux d'un cheval [193 v] de bronze et qui consiste à sa tête avec une partie du cou; il est sans mors, bride, ny autre harnois. Il paroît qu'étant tout entier, il étoit de la grandeur et de la beauté de celuy de Marc Aurèle à Rome, et jetté aussi sur le modèle d'un sculpteur grec.

L'on voit encore dans la même cour un autre cheval de bronze moderne qui est en très médiocre volume, avec la figure de l'empereur Charlequint, érigée à ce prince à l'ocasion de son entrée à Naple.

Le cheval n'a guère plus de deux pieds de grandeur; il est élevé sur une espèce de collonne en balustre, soutenue d'un piédestal, le tout de marbre blanc et décoré en basrelief, l'un et l'autre d'une fort belle exécution. Je remarquay aussi dans ce lieu quelqu'autres basreliefs modernes d'une grande perfection.

Il y a encore un autre palais [45] dont la cour est également

de Naples, où elle se trouve aujourd'hui, et un moulage la remplace. Sur ce Palais et la collection Carafa, cf. G. Ceci, *Il Palazzo dei Carafa di Maddaloni*, dans *Nap. Nob.*, II, 1893, p. 149-152 et 168-170; quant à l'autre statue équestre que Delamonce interprète à tort comme celle de Charles-Quint (il s'agissait en réalité de Ferdinand Ier d'Aragon), elle a disparu: cf. G. Ceci, *F. Delamonce*, *Ibid.*, XV, p. 148.

[45] Toutes les indications topographiques données par Delamonce sur les « autres palais » de Naples (autres que le Palais Royal, le Palais degli Studi et le Palais Carafa) ne sont pas claires, voire même erronées: c'est ainsi que, comme le note justement G. Ceci, *Delamonce, loc. cit.*, p. 148, il n'y a pas de palais avec cour « en face du Palais Filomarino ». Pour la topographie de

HOC FAC ET VIES

La tête du Cheval de bronze.

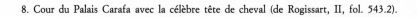

8. Cour du Palais Carafa avec la célèbre tête de cheval (de Rogissart, II, fol. 543.2).

remplie d'antiquitez, mais la plupart assez inférieures à celles dont j'ay parlé. Ce bastiment est en face du palais du duc de la *Tour Philomarino* [46] qui nous fit la politesse de nous montrer luy-même les tableaux de prix qu'il possédoit, entr'autres les trois Maries au tombeau du Sauveur par Annibal Carache, dont on voit une très belle estampe, gravée au burin par *Rollet*.

Au fond de la même rue et à droite, l'on découvre encore un autre palais [47], à la vérité de moyenne grandeur, mais auquel

---

Naples au XVIIIᵉ siècle (seconde moitié, il est vrai), on se référera à la *Mappa topografica della città di Napoli e de' suoi contorni* établie par G. Carafa, duc de Noja, en 1750 et publiée en 1775. Sur l'importance de ce document, on se reportera notamment à C. De Seta, *Cartografia della città di Napoli*, 1969, aux ouvrages récents de F. Strazzullo, *La lettera del Duca di Noja sulla Mappa topografica della città di Napoli*, 1980, et de M. Rotili, *Mappa topografica della città di Napoli e de' suoi contorni*, 1980, avec, dans ce dernier, la bibliographie la plus récente sur la *Mappa* et sur son auteur.

[46] Ce palais, le Palazzo Giusso Filomarino situé sur la petite place San Giovanni Maggiore, est aujourd'hui l'Istituto Universitario Orientale. Delamonce visite la collection de tableaux que lui montre personnellement le Duc de la Tour Filomarino, notamment la célèbre Pietà d'Annibal Carrache, aujourd'hui au Musée de Capodimonte, ainsi que l'estampe gravée par « Monsu Rollet », citée par Celano (p. 1234) comme une « œuvre fameuse ».

Sur la collection Filomarino, sur la personnalité de cet Ascanio Filomarino qui en avait été le créateur, ami des Barberini et grand amateur d'art, cf. R. Ruotolo, *Aspetti del collezionismo napoletano: il cardinale Filomarino*, dans *Antologia di Belle Arti*, n. 1, 1977, p. 71-82 et A. Brejon de la Vergnée dans *La peinture napolitaine de Caravage à Giordano*, 1983, p. 77-78.

La brièveté des indications de Delamonce doit d'autant plus être soulignée que c'est la seule collection qu'il visite et que, comme le montre l'inventaire daté 1700 publié par R. Ruotolo, elle contenait de nombreux tableaux français (Valentin, Vouet, Poussin, Mellin...). On sait que Sade (p. 432) donne une liste (une page) des principaux tableaux que contenait cette collection.

[47] Autre indication erronée: la rue qu'il faut suivre est sans doute (?) celle du Palais Carafa, c'est-à-dire la rue San Biagio dei Librai; mais, qu'il s'agisse de celle-ci ou de la rue des Banchi Nuovi qui part à côté du Palais Filomarino, on n'y trouve pas le « Palais de Solimène » qui, d'après Celano (p. 1846), se trouvait près du Palais des Études: cf. à ce sujet V. Rizzo, *Documenti su Solimena, Sanfelice...* dans *Nap. Nob.*, XX, 1981, p. 222-234. Il y a donc quelque confusion dans les souvenirs ou dans les notes de Delamonce. Visiblement, il a été frappé par l'argent qu'a réussi à mettre de côté Solimène,

de grandes arcades, acompagnées de pillastres, donne de l'aparence: c'est ce que j'ay vu à Naple de meilleur goût dans ce genre. L'on m'assura que ce bastiment apartenoit au fameux peintre *Solimène* qui en a donné le dessein et qui, ayant acquis de grands biens, étoit en état d'en avoir fait la dépence, son habilité et sa grande réputation luy ayant procuré la situation la plus favorable que l'on puisse espérer dans les beaux arts.

Je trouvay une magnifique fontaine de marbre blanc [48] en face [194 r] du port, formée par trois arcades en manière d'arc de triomphe, tout de marbre, mais tout ce qu'on en peut dire est que le bon goût n'y répond pas à la dépence, cet ouvrage ayant été exécuté sur un mauvais dessein. Il y en a encore d'autres dans cette ville, où l'exécution et la dépence sont à peu près au même degré.

Au reste, l'on voit auprez de cette première fontaine une statue collossale de Jupiter [49], aussi de marbre blanc, qui étoit un therme

dont il admire l'œuvre. D'ailleurs la même indication se trouve chez Celano (*loc. cit.*). C'est donc une anecdote qu'on lui a rapportée et dont il se souvient. Selon Blunt, il pourrait s'agir du Palais du Monte di Pietà, construit par Cavagna à la fin du XVIe siècle (cf. A. Blunt, *loc. cit.*, p. 8, n. 46).

[48] Le débouché de la Via del Gigante était comme fermé par une fontaine à trois arcs « avec de très belles statues qui tenaient des urnes et où coulait l'eau dans la fontaine ». C'était l'œuvre de M. Naccherino et de Pietro Bernini, le père de Gianlorenzo: cf. L. Cosentini, *Il Foro Murat*, dans *Nap. Nob.*, VII, 1898, p. 33; elle fut démontée et abandonnée pendant des années, puis remontée près de l'église du Carmine (cf. L. de la Ville sur Yllon, *Ibid.*, 1899, p. 4) et enfin à Santa Lucia sur le bord de mer, où elle se trouve actuellement; pour cette fontaine et le « Gigante », cf. fig. 7.

[49] Cette statue, appelée le plus souvent Gigante di Palazzo, avait été placée à l'époque de Pierre d'Aragon (vice-roi de 1666 à 1671) au sommet du nouvel accès pour les carrosses à la porte de l'Arsenal, au même niveau que le Palais Royal. La partie haute était un buste de Jupiter trouvé à Cumes; on lui avait ajouté des bras et un pilastre de stuc, avec une plaque de marbre portant une longue inscription. La statue fut enlevée en 1807. On lui redonna par la suite son aspect primitif et elle est actuellement au Musée National: cf. A. Colombo, *I porti e gli arsenali di Napoli*, dans *Nap. Nob.*, III, 1894, p. 141 et G. de Montemayor, *Il Gigante di Palazzo*, *ibid.*, VII, 1898, p. 1-4 et 22-25.

PROSPETTO DELLA FONTANA PIMENTEL NELLA STRA-
DA DI S. LUCIA IN NAPOLI

9. La fontaine aux trois arcades (gravure de la Collection Pagliara, Naples).

antique dont on a fait une très mauvaise statue par tout ce que l'on y a ajouté.

Ce qu'il y a de plus remarquable dans ce voisinage est la chute d'un petit canal d'eau [50], pratiqué sur l'apuy de la descente qui est au bas du couvent des Recollets. Elle est ornée de marbre d'un dessein aussi ingénieux que singulier, et placée parallèlement à la cour des forçats.

Il est tems, Monsieur, de vous parler à présent de la fameuse rue de *Tolède* [51], où est situé le Palais Royal, la seule de Naple dont la largeur répond à la grande longueur, mais qui n'est pas tirée

[50] Ce « petit canal » apportait l'eau à la fontaine appelée tantôt Fonseca, du nom du vice-roi qui l'avait fait construire, tantôt Sebeto du nom du fleuve qui était représenté entre deux tritons. Cette fontaine était, selon Misson, une des trois plus belles de Naples (II, p. 79). Le « petit canal » était, au vrai, une magnifique descente d'eau, ornée de douze monstres marins, qui débouchait dans la fontaine représentant le Sebeto au milieu d'autres monstres marins, le tout en beau marbre. L'ensemble était l'œuvre (1638) de Carlo Fanzago, fils du Cavalier Cosimo. Tout proche, se trouvaient le quartier de l'Arsenal et un couvent de Franciscains (Convento della Croce dei Frati della Riforma di S. Francesco): cf. pour la topographie du quartier et la fontaine, Celano-Chiarini, p. 1419 et 1540.

[51] Ce jugement sur la plus grande rue de Naples se retrouve à peu près le même chez tous les auteurs qui se sont occupés de la topographie de la ville et chez tous les voyageurs. Déjà Bouchard, qui l'avait souvent citée à propos des processions, lui consacrait une longue description admirative (II, p. 244): à la différence des auteurs qui vont suivre, Bouchard aime son aspect commerçant: « Le reste est de grandes boutiques très marchandes, entre autres vers la Charité, où il y a une grande place qui est tous les matins remplie de la plus grande quantité des plus beaus fruits et des plus beaus herbages... Tout le beau poisson de Naples se vend là ». Un siècle plus tard, voici ce qu'écrit de Brosses: « La rue de Tolède est certainement la plus longue et la plus belle rue qu'il soit dans aucune ville d'Europe » (p. 414), mais il ajoute immédiatement: « Mais quoi! Elle est indignement défigurée par un demi-pied de boue et par deux rangs d'infâmes échoppes et boutiques de charcutiers qui règnent tout le long et masquent les maisons ». C'était déjà ce qu'écrivait G. Pacichelli, *Memorie de' Viaggi*, 1685, IV, 1, p. 49: « Elle est embarrassée de viandes, de poulets, de gibier, de poissons, de légumes, de fruits, de pâtisseries grossières ». Selon Sade, qui admire beaucoup son tracé et ses architectures, toutes ces boutiques la rendent « puante et sale » (p. 381). Sur l'histoire de cette célèbre rue, cf. A. Colombo, *La strada di To-*

95

au cordeau; c'est où passent les mascarades de carnaval et les chars de triomphes et où se font toutes les principales réjouissances publiques.

Après cette rue, celle de Montolivet [52] est la plus remarquable pour sa largeur, mais qui n'a pas la même étendue ny la même aparence.

Il est question de vous décrire enfin les églises [53] de cette ville, les plus dignes d'attention soit en elles-mêmes ou par les singularitez qu'elles renferment. Plusieurs de ces édifices manquent encore de façades et n'ont rien de remarquable par dehors, mais dont l'intérieur est au contraire d'une magnificence surprenante, quoique la plus grande partie soit de très mauvais goût, par ce qu'elles sont

ledo, dans _Nap. Nob._, IV, 1894, p. 1-4, 25-29, 58-62, 107-109, 160-172 et V, p. 41-48, 77-80, 92-94.

[52] C'est le jugement classique des étrangers sur Naples: cf. par exemple Sade: « Il y a quelques autres grandes rues dans Naples, entre autres celle de Monteoliveto, presque aussi longue et aussi large que celle de Tolède. Mais en général tout le reste est étroit » (Sade, p. 382).

[53] Après les palais et les rues, les églises. C'est toujours le point fort des récits de voyage concernant Naples. D'entrée de jeu, Delamonce donne son impression: il y a de belles églises, certes, mais de « superbes collifichets ... causent partout une confusion qui choque étrangement les yeux des connoisseurs ». Sur ce jugement et sur le goût de Delamonce, cf. Introduction, p. 24 sq. En tout cas le contraste est clair avec l'opinion des voyageurs précédents. Déjà Bouchard parlait des églises « ès quelles gît la plus grande beauté et la plus grande magnificence des bastimens de Naples, et si vous autez cinq ou six églises des plus anciennes de Rome... il n'y a point de doute que les églises de Naples vont du pair, et peut-estre surmontent celles de Rome, en grandeur, en beauté d'architecture, en dorures, en autres enrichissements, mais surtout en somptuosité d'ornemens d'argenterie, et de tentures ... de velours ou drap d'or, tous couverts de broderies d'or » (Bouchard, II, p. 251-252). Telle est aussi l'opinion de Misson: « Je puis vous dire sans exagérer que cela [le nombre et la magnificence des églises] surpasse l'imagination. Si l'on veut voir de beaux morceaux d'architecture, il faut visiter les églises, il faut voir les portails, les chapelles, les autels, les tombeaux. Si l'on veut voir de rares peintures, de la sculpture et des charretées de vaisseaux d'or et d'argent, il ne faut qu'entrer dans les églises ». Ajoutons cependant que, pour atténuer son enthousiasme, Misson écrit en note: « Il y a peu de belles façades d'églises à Naples: toute la beauté est en dedans » (Misson, II, p. 90).

remplies ou plutôt chargées de marqueteries en marbre précieux d'un prodigieux travail et souvent même enrichies de bronze doré à feu. Tous ces superbes collifichets y sont prodiguez jusqu'aux [194 v] pavez et aux apuys des balustrades en sorte qu'ils causent partout une confusion qui choque étrangement les yeux des connoisseurs. Il est vray qu'il y a quelques autres églises où ce deffaut ne se fait pas remarquer et qui, au contraire, peuvent aller de pair avec plusieurs des belles églises de Rome.

Telle est surtout la célèbre chapelle de St. Janvier [54], dite *du Trésor*, et qui fait partie de l'église cathédrale dont je parleray bientôt cy-après.

Le plan de cette belle chapelle est en croix grecque ou à quatre

----

[54] Comme on le voit, Delamonce prend la chapelle de St. Janvier comme exemple d'une belle réussite qui peut rivaliser avec les églises de Rome: finie dans les années 1630/1640 sur dessin de F. Grimaldi, avec ses peintures, ses ornements du milieu du XVIIe siècle qu'énumère avec précision Delamonce, elle est considérée comme un des chefs-d'œuvre de l'architecture napolitaine: Misson la dit « magnifique » (II, p. 107) et, selon Caylus (p. 203), elle est « ce qu'il y a de plus beau à Naples ».

Delamonce « énumère les œuvres avec précision », mais, tout bien pesé, dit-il ou laisse-t-il entendre l'essentiel? L'essentiel, c'est de voir que ces années 1630-1640 ont constitué « une décennie de création extraordinaire durant laquelle un éventail très large de talents artistiques se déploya à Naples, depuis le Dominiquin et Lanfranc jusqu'à Cavallino et Stanzione, pour ne mentionner qu'eux »: cf. Cl. Whitfield, *Naples au XVIIe siècle*, dans *La peinture napolitaine de Caravage à Giordano*, 1983, p. 42, qui ajoute: « Ce qui caractérise la peinture napolitaine du XVIIe siècle est l'ardeur à accueillir les influences extérieures... L'engouement pour les peintres étrangers soulevait évidemment beaucoup de rancœur; c'est ainsi que, durant ces années 1630, le séjour du Dominiquin, qui avait été appelé pour exécuter la commande la plus prestigieuse que Naples pouvait offrir: la décoration dans la cathédrale de la Cappella del Tesoro, se transforma en tragédie; il mourut à Naples et sa veuve prétendit qu'on l'avait empoisonné » (p. 43). Ajoutons que le sculpteur Giuliano Finelli n'était pas, lui non plus, napolitain et qu'il retourna définitivement à Rome vers 1650: cf. O. Ferrari, *Le arti figurative*, dans *Storia di Napoli*, VI, 2, p. 1299.

Sur cette célèbre chapelle, on pourra consulter aujourd'hui E. et C. Catello, *La Cappella del Tesoro di S. Gennaro*, 1977 et F. Strazzullo, *La Real Cappella del Tesoro di S. Gennaro*, 1978; cf. ici fig. 10.

branches égales. L'entrée en est fort noble étant anoncée par une grande arcade acompagnée de grosses collonnes d'un prétieux marbre verd d'Égypte, avec d'autres acompagnements aussi de marbre et les statues de St. Pierre et de St. Paul. L'intérieur est aussi décoré à propos par 40 collonnes de brocatelle avec leurs chapiteaux et bases de bronze entre vincinq niches de marbre, remplies d'autant de figures de même métal, jettées sur les modèles de plusieurs habiles sculpteurs et entr'autres de *Julien Finelli* dont j'auray ocasion de parler cy-après.

Les quatre massifs qui suportent le dôme ont aussi leurs intervales ornez d'autels, chacun avec quatre collonnes rares et leurs entablemens et frontons qui renferment autant de tableaux de prix peints à huile sur des lames de métal de la main de *François Ribera,* dit l'*Espagnolet,* et du fameux *Dominiquin,* autrement *Dominique Zampieri* de Bologne, élève du célèbre *Anibal Carache.* Le même Dominiquin a peint à fresque la partie supérieure de cette chapelle au-dessus au-dessus [*sic*] des corniches et toute la voûte où il a représenté la vie et les miracles de St. Janvier, évêque et martir, l'apôtre de cette ville. Le même a peint encore à fresque le sommet de la calote intérieure de la coupole qui s'élève au-dessus des quatre massifs, et dont le célèbre Chev. *Lanfranc* a peint le reste avec un grand succez, ainsi tout ce qui est dans ce lieu est digne de remarque. Je ne vis point le miracle [55] de la liquéfaction du sang de

---

[55] Même si Delamonce n'a pu assister personnellement à la cérémonie du miracle (les deux grandes « fêtes » étaient le premier samedi de mai ou le dernier samedi d'avril et le 19 septembre), il ne pouvait le passer sous silence. On retrouve chez tous les voyageurs les mêmes descriptions et la même question posée, ici avec amusement et ironie, là avec violence: celle, dans la ville en fête (belle évocation dans Bouchard, II, p. 199-202) de la liquéfaction du sang du Saint quand on approche de sa tête la fiole qui le contient. Montesquieu assiste à la cérémonie: « J'ai été, aujourd'hui, samedi 30, voir la liquéfaction du sang de Saint Janvier. Je crois avoir vu que cette liquéfaction s'est faite, quoiqu'il soit difficile de bien s'en apercevoir ... Mais, quoi qu'il en soit, je crois que c'est précisément un thermomètre; que ce sang ou cette liqueur, qui vient d'un lieu frais, entrant dans un lieu échauffé ... doit se liquéfier ... Je suis persuadé que tout cela n'est que des thermomètres (Montesquieu, p. 727-728). La formule de de Brosses est plus lapidaire: « Assez

Autel de S. François Xavier.

Autel de S. Ignace.

10. Le Gesù Nuovo: les deux chapelles de Saint-Ignace et Saint-François Xavier (de Rogissart, II, fol. 491).

ce Saint renfermé dans une phiole où il paroît tout sec et figé. Or cette liquéfaction arrive en faisant toucher cette phiole contre le chef du même [195 r] Saint, ce qui ne réussit pas toujours, dit-on, et alors le peuple en présage quelque calamité publique. L'on n'en fait la tentative que le jour de la fête ou pour quelque prince étranger, ou enfin pour quelques besoins pressants de cette ville. Ainsi, comme tout cela se ne rencontra pas dans le tems de mon séjour à Naple, je n'ay point vu cette circonstance.

A l'égard de la cathédrale [56], c'est un ancien vaisseau assez vaste que l'on a tâché de décorer depuis à la moderne par des embellissements et par des tableaux de bonne main ainsi que par un riche pavé de marbre; la *Confession* ou chapelle soutairaine, où

joli morceau de chimie », mais le texte le plus violent sera celui de Sade: « Nos lumières sont aujourd'hui assez perfectionnées sur cette science [la physique] pour qu'on ne dût pas anéantir à jamais cette barbare ineptie dans laquelle il semble qu'on veuille tenir à plaisir l'esprit du pauvre peuple. Ne serait-il pas temps bientôt de le détromper et est-ce à nous de nous moquer des païens après de telles idolâtries? La frénésie qui transporte le peuple de Naples le jour que se fait le miracle est telle que le meilleur conseil que je puisse ici donner à un étranger est de ne jamais s'aviser d'aller se mêler dans la foule des admirateurs de cette ridicule farce » (Sade, p. 423-424).

[56] De cette page sur le Dôme, on pourra, semble-t-il, retenir ceci: Delamonce a conscience que les « embellissemens » modernes ont été plaqués sur une structure ancienne (la construction remonte à Charles II d'Anjou, donc à la fin du XIIIe siècle, et beaucoup de transformations ont été destinées à réparer des dégâts provoqués par des tremblements de terre); mais il ne voit aucune des parties vraiment anciennes, par exemple la chapelle de S. Restituta (cf. cependant *infra*, n. 75), la plus ancienne basilique napolitaine ou le baptistère avec ses mosaïques. Il ne souligne pas non plus que la Confession est une belle chapelle renaissance, une des plus élégantes de Naples pour cette époque: cf. à ce sujet les ouvrages de R. Pane sur la Renaissance à Naples et en Italie méridionale et notamment *Architettura del Rinascimento in Napoli*, 1939, et *Il Rinascimento nell'Italia meridionale*, 2 vol., 1975 et 1977; quant aux fonts baptismaux, il s'agit d'une belle vasque de basalte égyptien, mais d'un intérêt tout de même assez relatif; on notera cependant que Cochin lui consacre un paragraphe (p. 46). Ce qui est plus frappant, c'est que Delamonce ne fait même pas une allusion aux peintures qui décorent la cathédrale, notamment aux tableaux de Luca Giordano et de Solimène.

est le cors de St. Janvier, est aussi orné de dorures et de collonnes yoniques, de statues et de compartimens, le tout de marbres rares.

Rien au reste ne mérite plus l'attention des curieux que la belle conque antique de vraye pierre de touche d'Égypte servant, comme à Gayète, de fonds baptismaux. Elle est d'un très beau profil et d'une grande valeur, étant enrichie de frises où sont sculptez des festons et de très beaux masques de faunes, avec des tyrses en sautoir. L'on peut juger de la dépence par le prodigieux travail de cet ouvrage, puisqu'après trois coups de ciseaux, il faut retremper les outils comme pour la taille du porphire, autre marbre prétieux d'Égypte dont il y a ici un piédouche qui soutient cette belle conque et luy donne beaucoup de grâce; au reste, elle est surmontée des figures en bronze de Jésus-Christ, baptisé par St. Jean, jettées sur de fort beaux modèles. Enfin, pour ne rien laisser à désirer à la magnificence de ces fonds, ils sont environez et couverts d'un riche *baldaquin*, soutenu de quatre collonnes de verd d'Égypte avec leurs chapiteaux de bronze, ainsi que la calote qui répond au reste, de même que la rampe de marbre par où l'on y descend, en sorte que je peux vous assurer que l'on ne voit rien d'égal dans ce genre. Enfin le bénitier, proche la porte de l'archevêché, est aussi une pièce de prix, étant de véritable jaspe oriental.

Je ne dois pas oublier de vous dire que, lorsqu'on sort de cette église par la petite porte de côté, l'on y trouve, au bas du grand perron, une petite place où est élevée une magnifique pi-ramide à l'honeur de St. Janvier [57], terminée par sa statue en bronze

---

[57] C'est la fameuse Guglia di San Gennaro dont la construction fut décidée après l'éruption du Vésuve de 1631; le monument est l'œuvre de C. Fanzago et la statue de bronze est de G. Finelli de Carrare. Primitivement, la statue devait être portée par une colonne antique de marbre qui se trouvait dans le Dôme, mais, à la suite de querelles entre la noblesse et l'archevêque, ce dernier refusa son accord. Le travail de C. Fanzago dura plus de vingt ans (1637-1660). Sur l'histoire de ce monument, cf. A. Borzelli, *La guglia di San Gennaro*, dans *Nap. Nob.*, V, 1897, p. 78-80 et L. Serra. *Ibid.*, III, 1923, p. 2. On notera là encore la critique assez vive que fait Delamonce de ces colifichets destinés à éblouir le peuple et auxquels les non-connaisseurs se laissent prendre. Misson signale ces obélisques sans commentaire d'aucune sorte (II, p. 115). Caylus, lui, manifeste une certaine surprise, mais ne porte

Fonte Battesimale.

11. Les fonts baptismaux de la cathédrale (de Rogissart, II, fol. 464).

et, quoique ce riche monument soit tout de marbre, exécuté avec un grand travail et à grands frais, j'avoue qu'il ne mérite pas l'estime des connoisseurs, le dessein en étant très mauvais [195 v] et chargé d'un trop grand nombre de collifichets. L'on peut dire que le chevalier *Cosimo Fonsago*, qui en a été l'auteur, a infecté cette ville par toutes ses ridicules productions qui éblouissoient un peuple ignorant et auquelles une infinité d'étrangers peu initiez dans le bon goût se laissent encore surprendre.

L'église de St. Paul des Barnabites, dont la décoration intérieure est aparente, est encore plus remarquable au dehors par les prétieux débris de son ancien portique qui faisoit partie du Temple de Castor et de Pollux[58] qu'un certain afranchi de Tibère avoit fait bâtir avec

pas de jugement de valeur: « sur une aiguille de marbre assez extraordinaire par sa forme, on voit la statue de Saint Janvier » (Caylus, p. 203).

Sur l'œuvre de Fanzago à Naples et notamment sur les Guglie, cf. G. Cantone, *Guglie e fontane di C. Fanzago* dans *Nap. Nob.*, XIII, 1974, p. 41-50.

[58] Delamonce ne consacre pas moins de trois pages à cet ensemble important: l'église S. Paolo Maggiore, dite aussi S. Paolo dei Padri Teatini, et non des Barnabites, comme l'écrit par erreur Delamonce, fut construite au XVIe siècle sur les ruines d'une église du début du IXe siècle, elle-même édifiée sur l'emplacement d'un temple romain dédié aux Dioscures par un affranchi d'Auguste, Tiberius Julius Tarsus. Le texte de Delamonce sur ce que, après le tremblement de terre de 1688 (et non de 1685), il voit du Temple de Castor et Pollux est très intéressant: il se réfère aux dessins de Palladio, sans penser ou sans savoir qu'il y avait deux autres documents non moins importants et plus anciens: le relief du cortège triomphal d'Alphonse d'Aragon qui figurait sur le Castel Nuovo où l'on voyait parfaitement alors, à gauche, le Temple des Dioscures et, au centre, le théâtre; d'autre part, le dessin de François de Hollande (1540) publié en 1576; quant aux dessins de Palladio, ils sont sans doute moins fidèles: cf. à ce sujet, avec toute la bibliographie, M. Napoli, *Topografia e archeologia*, dans *Storia di Napoli*, I, 1967, p. 424-430.

Ce qu'il faut noter, c'est que, en 1719, outre les deux colonnes et leur entablement conservés encore aujourd'hui, on voyait, à terre, « le quart du fronton taillé en basrelief de marbre blanc », avec un triton et une nymphe assise tenant une corne d'abondance (sur ce fronton, cf. L. Bernabò Brea, *Il tempio napoletano dei Dioscuri*, dans *Bullettino dell'Impero, Bullettino Comunale*, 63, 1936, p. 61 sq.). Le témoignage de Delamonce est donc très important pour les archéologues. On notera que sur la figure de Summonte (ici fig. 12)

beaucoup de dépence et dont le célèbre *Palladio*, un de nos plus illustres architectes modernes, nous a conservé le plan, l'élévation et les principales mesures. Nous luy en sommes d'autant plus redevables, que l'ordonnance de cet édifice seroit aujourd'hui à peine reconnaissable sans ce secour, puisque depuis ce tems-là, il n'y reste plus sur pied que deux grosses collonnes corinthiennes canelées, avec leurs architraves et frises, le tout de marbre blanc; ce sont celles de l'angle à la droite et il subsiste encore trois bases dans leur ancienne situation, le tout élevé sur un soubassement au niveau du perron, de la hauteur d'environ douze pieds, au-dessus de rez-de-chaussée. Il y avoit huit collonnes à ce portique: sçavoir six de face et deux par côtez, avec un fronton angulaire, dont il reste à terre environ le quart du timpan, taillé en basrelief de marbre blanc, où l'on [voit] encore deux figures qui sont un triton qui présente une conque à une nimphe assise qui tient une corne d'abondance et qui regarde vers le milieu du timpan. A côte de ce fragment, l'on voit çà et là plusieurs blocs de marbre d'une prodigieuse grosseur, puisqu'ils ont environ sept pieds en quarré sur près de quatre pieds d'époisseur, qui sont des parties de la corniche régnante et de celles du fronton, ornées de modillons selon les règles de l'ordre corinthien.

L'on discerne aussi sur la plateforme du perron deux troncs de statues collossales, aussi de marbre blanc, apuyez contre le mur de l'église, qui représentent les cors de deux jeunes hommes, qui représentoient sans doute les frères jumaux auxquels ce temple étoit dédié. J'avoue que je ne pus voir sans [196 r] douleur l'état où sont

le temple, avec les six colonnes du pronaos et le fronton, est représenté comme s'il était intact; mais de toute façon l'inscription ne correspond pas à la réalité.

Quant aux « troncs de statues colossales aussi de marbre blanc » que Delamonce a vus appuyés contre le mur de l'église, ils ne faisaient sans doute pas partie du fronton: M. Napoli suppose qu'ils ont été placés là au XVIIe siècle pour témoigner « de la véracité de la légende selon laquelle, quand St. Paul passa par Naples, les statues des Dioscures s'écroulèrent du haut du temple ».

Sur l'ensemble de ces problèmes, on lira avec beaucoup d'intérêt l'article de S. Savarese, *S. Paolo Maggiore. Un tempio e una chiesa*, dans *Nap. Nob.*, XVI, 1970, p. 177-192, avec la bibliographie.

TIBEPIOΣ   IOYΛIOΣ   TAPΣOΣ

DEXDIRVT

12. La façade du Temple de Castor et Pollux et de l'église de San Paolo Maggiore, d'après G.A. Summonte, *Historia del Regno di Napoli*, première moitié du XVIe siècle.

ces deux excellens chefs-d'œuvre de sculpture, d'un ciseau grec des plus parfaits pour les proportions et le sublime du dessein. Ce sont les funestes suites du terrible tremblement de terre arrivé à Naples en 1685 [sic] et qui endomagea beaucoup toute cette grande ville.

Cette église[59] est décorée de pillastres canelez de marbre blanc entre des grandes et moyennes arcades, placées alternativement et acompagnées de panaux et de basreliefs aussi de marbre, et vers le coeur par des montants de marbre veinez avec un attique régnant. La chapelle de la Vierge avec des statues et deux tombeaux est magnifique, ainsi que celle de St. André d'Avelino. Il y en a d'autres [?] couverts avec des veux en lames d'argent qui, malgré leur richesse, ne produisent pas un bel effet, mais rien n'égale, dans toute cette église, les peintures de la sacristie, dignes de toute l'admiration de la postérité. D'abord deux grands sujets se présentent à la vue et qui en ocupent les deux fonds. Celuy où est peinte la Conversion de St. Paul a été fait en 1689, et l'autre, où l'on voit la chute de Simon le magicien, est un ouvrage de l'année suivante 1690. Tous ces deux beaux ouvrages donnent, à la vérité, des preuves

[59] Suit maintenant une note détaillée et exacte sur l'église S. Paolo: après une évocation d'ensemble, Delamonce note la Chapelle de la Vierge avec ses quatre statues et surtout la Sacristie avec les magnifiques peintures de Solimène et, plus belles encore, les peintures du même Solimène qui ornent « la voûte et les murs des côtés ». Ce jugement où se marque l'enthousiasme de Delamonce est important comme témoignage: cf. à ce sujet F. Bologna, *La dimensione europea della cultura artistica napoletana*, dans *Arte e Civiltà del Settecento a Napoli*, publié par C. De Seta, 1982, p. 39. Quant à la copie de Raphaël, elle se trouve effectivement dans la pièce qui précède la Sacristie: cf. pour tout ce qui concerne cette église, Celano, p. 817-830.

Comme le souligne justement Bologna (*loc. cit.*), ces « peintures de la sacristie de Saint-Paul » de Solimène sont également celles que Cochin considère comme les mieux réussies: dans le jugement d'ensemble qu'il porte sur la peinture napolitaine, Cochin, après avoir vanté les tons de Solimène, critique le « mauvais ton de ses ombres, qui sont souvent d'un noir bleu, tout à fait faux » et le fait qu'il « disperse souvent les lumières par petites parties qui détruisent l'effet total de ses tableaux » (Cochin, p. 201). Mais il ajoute aussitôt: « Cependant il n'est pas toujours tombé dans ce défaut et les figures qui sont dans la sacristie de Saint-Paul sont d'un meilleur ton; aussi est-ce un des plus beaux ouvrages qu'il ait fait ».

de la capacité du fameux *Cicio Solimène*: mais il paroît s'être beaucoup surpassé dans tout le reste, c'est-à-dire dans tout ce qui décore la voûte et les murs des côtez, où sont figurées nombre de vertus, des concerts d'anges, des génies et d'autres objets convenables. Les grâces sont répandues dans toutes les attitudes et sur les visages de toutes les figures; la corection et le bon goût du dessein, ainsi qu'une heureuse tournure et une grande vraysemblance du naturel dans les draperies, s'y font partout remarquer. Toute la composition de ces objets est heureuse et soutenue d'un clair obscur ingénieusement ménagé qui y fait beaucoup valoir l'harmonie charmante du coloris; enfin, un certain art et un contraste général qui y brille de toute part, joints aux autres parties dont je viens de parler, semble présenter aux spectateurs plutôt la production d'un enchantement qu'une opération humaine. Je n'avance point icy des hyperboles, c'est la seule force de la vérité qui exige de moy un tel témoignage [196 v]. Aussi pourrez-vous remarquer, Monsieur, que je ne prodigueray guère ailleurs de semblables éloges, ce pas même pour les autres ouvrages de ce maître qui n'a jamais rien fait d'égal à celuy-ci. En sorte qu'en surpassant les autres habiles artistes, il s'est rendu icy supérieur à luy-même. Il y a au reste un tableau à huile du même *Solimène* dans cette sacristie qui est encore digne de luy, représentant la samaritaine en figures à demy cors, mais c'est toujours une pièce inférieure au grand ouvrage que je viens de citer. Tout proche de l'entrée de la même sacristie, j'aperçus une excellente copie d'un excellent tableau de *Raphaël* qui est en Espagne, que l'on voit en estampe par Marc de Ravenne. C'est une vierge avec l'enfant Jésus auquel l'ange Raphaël présente, sous la figure du jeune Tobie, le fameux *Pic de la Mirandola*, et le cardinal *Bembo* y est figuré sous la personne de St. Jérôme; cette copie est si fidèle et par conséquent si parfaite que, si elle n'étoit pas peinte sur la toile, l'on seroit tenté de croire que c'est l'original que l'on sçait être peint sur le bois. Ainsi cette circonstance ne permet point d'équivoque sur ce sujet.

L'église du Jésus [60] ou de la Conception de la maison professe

---

[60] Pour la description de cette église, Delamonce part des dommages

des Jésuites se ressentit beaucoup du tremblement de terre dont
j'ay fait mention, puisque son dôme, le plus grand qui avoit été
construit à Naple, en fut renversé au grand préjudice de la peinture.
En effet, les compartimens de la calote intérieure de ce dôme étoit

qu'elle subit lors du tremblement de terre de juin 1688, qui fit crouler la
coupole dont la voûte était peinte par Lanfranc. Cela est vrai; il est vrai
aussi que les quatre pendentifs peints par le même Lanfranc furent respectés
par P. De Matteis qui peignit la nouvelle voûte. Mais il néglige l'histoire de la
construction de l'église; il aurait pu dire qu'elle avait été édifiée sur l'emplacement du Palais San Severino dont elle conserva une large partie de la façade
à pointes de diamants; sur cette façade austère, le portail choque; c'est en
1685 que l'ancien portail fut refait avec les colonnes, les statues et le tym-
pan. Mais l'évocation de Delamonce est tout à fait inexacte (vitraux, niches,
portes!...).

L'intérieur est à croix grecque, même si les bras transversaux sont un
peu plus courts. On la décrit volontiers comme un « splendide monument
caractéristique de l'art du début du XVIIe siècle. Le baroquisme des décorations garde l'empreinte riche, noble et harmonieuse du Cavalier Fansago et
il ne dérange pas l'unité et la cohérence de cette œuvre grandiose. La richesse
des marbres et le nombre des fresques dans les voûtes produisent chez l'ob-
servateur une impression de magnificence et de grandeur merveilleuse » (Chiarini, dans Celano, p. 972). C'est exactement le jugement de Misson: « L'église
professe des Jésuites est une pièce admirable; le dôme est peint de la main
du Cavalier Lanfranc et, de quelque côté qu'on se tourne dans ce superbe
temple, tout y est chargé d'enrichissemens, depuis le pavé jusqu'à la voûte »
(II, p. 91). On notera cependant que Delamonce insiste une fois de plus sur
l'excès de richesse (« dépence mal employée », « à grands frais ») et, partant,
sur le mauvais goût de la décoration; on notera aussi que les deux chapelles
de St. François Xavier et de St. Ignace sont l'une et l'autre du début du
XVIIIe siècle. On notera enfin que, une fois de plus, le jugement de Montesquieu
correspond exactement à celui de Delamonce (cette église est la seule à laquelle Montesquieu consacre un commentaire un peu détaillé): « L'église des
Jésuites est (je crois) ce qu'il y a de mieux à Naples; elle est presque en croix
grecque. Il y a, sur le mur intérieur de l'entrée, une assez belle peinture de
Solimène, un tableau du Guerchin. Une assez belle architecture en dedans,
excepté que les autels sont trop chargés d'ornements et que la façade ne vaut
rien » (Montesquieu, p. 719).

Sur cette église du Gesù Nuovo (à ne pas confondre avec le Gesù Vec-
chio, qui est aujourd'hui incorporé dans l'Université) on consultera R. Mon-
tini, *La Chiesa del Gesù*, 1956. Pour les chapelles de St. Ignace et de St. François Xavier, cf. fig. 13.

111

[*sic*] une des belles productions à fresque du chevalier *Lanfranc* qui fut détruit par cet accident, et les desseins que j'en ay vu m'en font encore regretter vivement la perte.

Heureusement les peintures des *pendentifs* ou trompes sous ce dôme, peintes avec un art merveilleux par le même *Lanfranc*, aussi à fresque, ont été conservées; ce sont ceux dont l'on voit des estampes gravées au burin par *Rollet* et *Louvement*.

Au reste il est fâcheux que la dépence du portail de cette église ait été si mal employée, puisqu'à moins que de le voir avec des yeux complaisants, il seroit impossible de s'imaginer l'excez d'extravagance où cet ouvrage a été poussé, puisque toute la masse de cette façade est toute composée [197 r] de reffends chargez d'une infinité de ridicules collifichets qui décorent les vitraux, les niches et les portes, le tout cependant exécuté en marbre.

A l'égard de l'intérieur de la forme de cette église, elle est bâtie en croix grecque, à quatre branches égales, sans y conter le sanctuaire puisqu'elle a 250 pas de longueur sur 200 de largeur, toute pavée et incrustée de marbre, ainsi que les massifs qui soute-noient le dôme qui, dit-on, avoit coûté dix mille écus romains. Toutes les chapelles sont magnifiques, mais fort inférieures encore à celles de St. Ignace et de St. François Xavier qui sont simétriques à l'égard de l'architecture, mais malheureusement tous ces superbes ouvrages, construits à grands fraix, sont décorez d'un très mauvais goût, mais l'on y voit entr'autres trois beaux tableaux de l'*Espagnolet*.

Entre les autres magnifiques églises de cette ville, celle des *Saints-Apôtres* [61] tient un des premiers rangs et, quoiqu'elle soit partout trop

---

[61] On lira avec attention et avec intérêt la description de cette église célèbre, une des belles églises de la première moitié du XVIIᵉ siècle à Naples. Dès le début, Delamonce insiste sur le caractère trop chargé des décorations, mais tout de suite il va à l'essentiel: ce qui plaira aux connaisseurs, c'est, avec son grand autel de marbre blanc, la chapelle que fit construire Ascanio Filomarino sur dessin de Borromini; c'est, rappelons-le en passant, la seule œuvre de Borromini à Naples. Delamonce qui n'aime pas Borromini ne peut s'empêcher de reconnaître les mérites de l'œuvre; il s'efforce de décrire l'ensemble avec beaucoup de soin, même si certains détails sont imprécis, voire erronés: les

· *Tesoro di S. Gennaro.*

13. La chapelle de Saint-Janvier dans la cathédrale (de Rogissart, II, fol. 467).

chargée de marqueterie dans l'intérieur, il [*sic*] est cependant décorée en général par de grands pillastres couronez de leur entablement. Entre les objets qui y attirent les connoisseurs, rien ne les frape davantage que la chapelle singulière qui ocupe le fond de la grande croisée du côté de l'Évangile dont le cardinal *Ascanio Philomarini*, un des archevêques de cette ville, fit toute la dépence. Pour me servir de l'expression italienne, *è una gioia*, c'est un vray bijoux, tout en effet y étant digne d'attention. Le retable tout construit de marbre blanc ainsi que toutes les dépendances de cet autel, est formé par 4 collonnes composites qui soutienent un grand entablement et le tout renferme cinq peintures en mosaïque ou en petites pierres émaillées de rapport, genre d'ouvrage qui ressemble précisément à de la mignature en grand volume. Ces mosaïques sont imitées sur des mosaïques de deux grands maîtres, sçavoir l'Anonciation d'après le *Guide* et les quatre vertus cardinales d'après le *Dominiquin*. L'on admire au-dessus du premier tableau un grand basrelief de marbre blanc qui est un chef-d'œuvre de l'incomparable François du Quenoy [197 v], dit le *Flamand*, qui y a représenté un concert de petits anges où il s'est surpassé. Le cofre d'autel est aussi de marbre blanc qui répond bien à la perfection du reste; c'est un entablement dorique soutenu par deux lions isolez et assis, où le sublime de l'art semble le disputer à l'extrême délicatesse du ciseau, quoique rien ne soit plus terminé que cet ouvrage.

Enfin, le chev. *Boromini*, dont les saillies licencieuses luy ont

« peintures en mosaïque » sont des copies des cinq tableaux du Guide (*L'Annonciation* et les quatre *Vertus cardinales*) que Filomarino, avant de les donner au roi d'Espagne, avait fait copier en mosaïque par un artiste habile du nom de Calandra; le bas-relief de Duquesnoy (la seule œuvre, là aussi, qu'on ait de lui à Naples) est en effet de grande qualité. Il n'y a pas en revanche *L'Assomption* du Chevalier Lanfranc.

Delamonce finit sa description par où l'on commence en général, c'est-à-dire par l'ensemble de l'église: il note à juste titre les belles peintures de Lanfranc, de Solimène, de Luca Giordano, bref de tout ce qu'il aime, sans oublier cet autre napolitain qu'est N. Malinconico. Ainsi cette page est vraiment caractéristique du goût de Delamonce.

Sur cette église, on consultera F. Strazzullo, *La Chiesa dei SS. Apostoli*, 1959; cf. ici fig. 14 et 15.

fait souvent hazarder des innovations en architecture, s'est distingué icy avec plus de régularité dans le dessein de tout cet ouvrage. Au reste, cette vaste église qui a été bâtie en 1626 renferme un tabernacle qui est des plus superbes, étant composé de marbre des plus prétieux et même de pierreries fines, telles qu'émeraudes, de topazes, d'amétistes etc., mais les connoisseurs ont le déplaisir d'avouer que l'art n'a aucune part dans un si riche ouvrage. Il est vray que les peintures à fresque de la voûte les dédommage avec usure puisque le chevalier *Lanfranc* y a déployé ses heureux talens, de même que le *Solimène* qui y a peint les seises [*sic*] angles des arcades de la nef, mais le premier, outre la nef, a peint la voûte des deux croisées du sanctuaire et une Assomption à huile. Il y a aussi une Présentation au temple de Luca Giordano, peinte à huile et la première chapelle par le *Melanconico*.

Prenons maintenant, Monsieur, un peu halaine et laissons pour un moment ces détails qui ne concernent que les beaux-arts et qui pourroient peut-être vous fatiguer, si je ne faisois quelques parentèses pour notre commun délassement [62].

De bonne foy, croiriez-vous, Monsieur, qu'une noblesse si nombreuse et illustre vive aussi frugalement qu'on me l'a assuré, quoiqu'il y ait des familles très riches, et ainsi à proportion les autres citoyens d'un état inférieur; ouy, Monsieur, il seroit difficile de se nourrir plus simplement, car des herbages et des fruits excellens, des laitages joints à des pâtes bouillies au beurre ou avec de la viande [198 r] qu'ils apellent *macaroni*, vermicelli et lasagni etc. sont leurs mets les plus délicieux pour leur ordinaire. Il est vray que, comme la mer de Naples n'est pas poissoneuse et que la viande

---

[62] Cet intermède qui veut délasser n'est sans doute pas du plus haut intérêt. Oui, Delamonce a raison de craindre que ses descriptions d'églises soient à la longue un peu monotones. Mais, pour reposer et susciter un nouvel intérêt, il y avait sans doute mieux à dire. Pensons par exemple aux propos alertes d'un Bouchard sur la noblesse, les mœurs, les fêtes, la nourriture, pensons à de Brosses, pensons à Sade... Ce que nous dit Delamonce d'un air faussement enjoué, c'est que la noblesse est frugale, qu'il y a du bon vin et que les fruits mûrissent plus tôt qu'ailleurs. C'est vrai, mais c'est peu.

Chapelle du Cardinal Ascanius
Filamarino.

14. L'église des Saints-Apôtres: la chapelle Filomarino (de Rogissart, II, fol. 489).

Tabernacle in S. Apostoli .

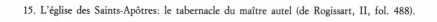
15. L'église des Saints-Apôtres: le tabernacle du maître autel (de Rogissart, II, fol. 488).

que l'on n'y sçait pas assaisoner n'excite pas leur apétit, l'on s'y renferme[a] à cette nouriture à l'apostolique.

À l'égard du vin, il y en a qui est rouge et très bon du voisinage, mais surtout le fameux vin que l'on nomme *Lacrima Cristi* est d'une force surprenante et même assez épais, à peu près comme le vin d'*Alicante*, mais d'un goût très différent; il est au reste d'autant plus cher qu'on ne le cueille que sur un certain côteau dont la favorable exposition en procure l'excellence. Comme les pères Jésuites en possèdent la plus grande partie, il n'est pas surprenant s'ils ont la plus vaste cave de cette ville, et comme ce vin prétieux est fort rare, ils en retirent un revenu très considérable; aussi est-il célèbre sur toutes les tables des seigneurs anglois, allemands et autres habitans du nord qui voyagent en Italie, dont plusieurs ont fait le voyage de Naple expressément. Au reste, quoique les fruits en général y soient excellens, il y en a qui n'y réussissent pas, tels que les poires et les pommes, mais en échange les fruits y sont beaucoup plutôt meurs qu'ailleurs par raport à la bonté du climat.

L'on nous assura que Philipe V, pendant son séjour à Naple, s'y étant trouvé dans le tems de Pâques, on luy présenta un melon très mûr et des mieux conditionez; il est vray que ce fut par l'industrie d'un habile botaniste qui, ayant trouvé le secret de faire avancer les plantes et des fruits avant la saison, fut amplement récompensé de ses soins et du succez de son expérience dans une ocasion aussi favorable.

Revenons maintenant à la description des magnifiques églises de cette ville.

Celle de St. Philipe de Néry est de ce nombre [63], à commencer par

---

[63] Voici encore un exemple significatif de ce mélange de goût personnel et d'idées reçues que l'on trouve dans les récits des voyageurs. « La grande et belle église de Messieurs les Oratoriens », comme dira Sade (p. 399), est considérée comme une des « magnifiques églises » de Naples. On insiste toujours sur la façade décorée de marbre blanc dont on s'apercevra peu à peu qu'elle a plus d'éclat que de goût (Sade, p. 401). Quant à l'intérieur, on

[a] Borne écrit au-dessus de renferme (non barré).

son portail qui est tout construit en marbre blanc et décoré de deux ordres [198 v] à pillastres d'un assez bon dessein. Quant à l'intérieur, il est embelli de grandes collonnes antiques de vray granite d'Égypte. D'ailleurs elle est ornée de peintures de bonne main, entr'autre d'un grand tableau de *Luca Giordano* qui y a représenté les vendeurs chassez du temple et qui est placé au-dessus de l'entrée. Quoique cet ouvrage ne soit pas si recherché que sont ceux qu'il fit dans la vigueur de son âge pour aquérir de la réputation, on y voit cependant des traits d'un heureux génie et qui montre la parfaite intelligence qu'il avoit de son [art]; mais l'étrange ascendant de l'intéroit [*sic*] qui le dominoit l'engagèrent depuis d'abuser de ses talens en se livrant à une prontitude outrée d'exécution qui ne luy permettoit pas de méditer ses ouvrages, entraîné par l'apas d'un sordide gain, c'est ce qui l'a fait surnommer *Luca fa presto*.

L'on monte à St. Jean in Carbonara[64] par un vaste perron et

---

note régulièrement les colonnes monolithes qui, contrairement à ce que dit Delamonce, ne sont ni antiques ni d'Égypte puisqu'elles proviennent de l'isola del Giglio et que c'est le Grand Duc Ferdinand de Médicis qui en a fait don aux Oratoriens (à l'époque de Delamonce, elles ne sont pas encore polies comme elles le sont aujourd'hui). Après cela, il y a les peintures et tout particulièrement la fresque de Luca Giordano qui représente *Jésus chassant les marchands du temple*. Cette grande fresque suscite toujours les mêmes propos: on y reconnaît « le feu du génie et une composition fière et hardie » (Sade, *ibidem*), mais on note que, hélas, la figure principale n'est pas aussi soignée que les autres et que, comme souvent, Luca Giordano a été victime de son excès de facilité. Rappelons que Cochin consacre à ce tableau, qui est une « grande et belle machine de composition », une longue analyse stylistique (près de trois pages), qui est un modèle de mesure et d'intelligence (Cochin, p. 148-150).

On trouvera un bon résumé de l'opinion que la critique italienne du temps se faisait de l'œuvre de Giordano chez O. Ferrari (dont on connaît les travaux sur ce peintre, cf. bibliographie) notamment dans *Le arti figurative*, *Storia di Napoli*, VI, 2, p. 1358, n. 66, ainsi qu'une excellente analyse du tableau, p. 1278.

[64] On notera avec intérêt ce que Delamonce retient de cette belle église du XIVe-XVe siècle (remaniée au XVIIIe siècle); le « perron » est un bel escalier monumental qui venait d'être construit d'après un dessin de F. Sanfelice (1707); le tombeau de marbre est le célèbre tombeau du roi Ladislas « d'une magnificence extraordinaire bien qu'à la gothique » (Rogissart, p. 486), ici fig. 17;

l'Eglise di S. Filippo Neri.

16. L'église de Saint-Philippe de Neri: la façade (de Rogissart, II, fol. 484).

je vis dans le sanctuaire un grand tombeau gothique de marbre qui occupe tout le fond derrière le grand autel et j'aperçus, du côté de l'Évangile, la magnifique chapelle ronde de l'illustre famille *Caracioli*. Elle est construite sur un bon dessein, toute en marbre blanc, et décorée de huit collonnes doriques canelées, terminées de leur entablement en ressaut, avec attique sur chaque groupe de collonnes, entre lesquelles sont placés l'autel, la porte, deux tombeaux dans les côtez, et quatre niches avec des statues de marbre. L'autel au lieu de tableau est orné d'un grand basrelief de marbre où l'on voit Jésus Crist mort, acompagné des Maries: c'est un ouvrage très corect d'un ciseau anonime, de même que la sculpture qui est sous l'autel.

La voûte en calote de cette chapelle est enrichie de compartiments de stuc comme ceux de la chapelle Chigi dans l'église de Notre Dame du Peuple à Rome.

Enfin, le pavé répond parfaitement aux embellissemens de la calote en marbre de couleur; ainsi le tout ensemble compose une décoration fort régulière qui n'est guère commune dans cette ville. Au fond de cette chapelle [199 r], il y a une autre très aparente où sont plusieurs tombeaux de marbre blanc, mais d'un dessein et d'une exécution inférieure à la précédente.

Je vis au reste [65] un fort beau tableau du *Solimène* à St. Aligio

la chapelle ronde est la chapelle Caracciolo di Vico (début XVIe siècle) avec son pavement de marbre et ses sculptures de l'autel du début du XVIe siècle. Le peu d'intérêt que porte Delamonce à la sculpture « gothique » du XVe siècle est caractéristique. Sur cet ensemble, cf. N. F. Faraglia, *La tomba di Ser Gianni Caracciolo*, dans *Nap. Nob.*, VIII, 1899, p. 20-23 et R. Filangieri di Candida, *ibidem*, I, 1920, p. 90-93 et surtout, du même auteur, *La chiesa e il monastero di S. Giovanni a Carbonara*, 1924. Cf. encore, plus récemment, A. Cirillo Mastrocinque, *Leonardo da Besozzo e Sergianni Caracciolo in San Giovanni a Carbonara*, dans *Nap. Nob.*, XVII, 1978, p. 41-49.

[65] Après les églises les plus belles ou les plus célèbres, Delamonce commence ainsi « le long détail » (*infra*, p. 149) des églises qu'il a visitées et sur lesquelles il a pris des notes. Nous nous limiterons désormais pour le commentaire au strict nécessaire, en insistant seulement sur ce qui nous semble important pour le goût de Delamonce.

L'église Saint-Éloi (son beau portail gothique est célèbre) se trouve sur ou Éloy où est peinte la Ste. Vierge, l'enfant Jésus et un saint Bénédictin, et je trouvay aussi plusieurs bons tableaux de différente main dans l'église de St. Pierre martir.

L'on rencontre dans la rue des libraires [66], en face de la piramide de St. Janvier dont j'ay parlé, un portique percé de cinq

la place du marché; c'est l'une des églises les plus abîmées par les bombardements de la dernière guerre. On notera, là encore, l'intérêt de Delamonce pour Solimène: ce tableau qui se trouvait dans la dernière chapelle consacrée à San Mauro représentait le Saint Abbé en adoration devant la Vierge (cf. S. Di Giacomo, *S. Eligio al Mercato*, dans *Nap. Nob.*, I, 1892, p. 153).

Quant à St. Pierre martyr (XIIIe-XIVe siècle), qui se trouve, elle aussi, dans le quartier du port, elle contenait des tableaux de peintres napolitains du XVIIe siècle et surtout le tableau représentant sans doute San Vincenzo Ferreri, attribué alors à Solario: cf. G. Cosenza, *La chiesa e il convento di San Pietro Martire*, dans *Nap. Nob.*, IX, 1900, p. 116-118. Le tableau est en réalité une œuvre de N. Colantonio, considérée à juste titre comme un des chefs-d'œuvre de la peinture napolitaine du XVe siècle. Mais n'oublions pas qu'il y avait aussi trois tableaux de Solimène et c'est sans doute à eux que fait allusion Delamonce: cf. F. Bologna, p. 264.

[66] Delamonce se trompe: nous sommes via dei Tribunali et non pas via San Biagio dei Librai; cette église située sur la petite place où se trouve la Guglia di San Gennaro est l'église du Mont de la Miséricorde (fin XVIIe) avec son beau portique, et qui contient plusieurs tableaux de peintres napolitains, et, surtout, les célèbres « *Œuvres de la Miséricorde* » qui passent, à juste titre, pour un chef-d'œuvre de Caravage.

Certes, Delamonce ne peut tout dire, et l'on sait que, dans toute cette partie de sa « description », il ira vite. On ne peut cependant s'empêcher de noter à quel point son commentaire sur l'architecture est sommaire. Non seulement il ne cite pas, ici comme souvent, le nom de l'architecte (F. A. Picchiatti) qui se voulait architecte et antiquaire et dont les créations gardent toujours une certaine sobriété (cf. R. Mormone, *Architettura a Napoli, 1650-1734*, dans *Storia di Napoli*, VI, 2, p. 1108-1110), mais il ne laisse pas soupçonner que ce beau portique était une solution élégante pour faire coexister deux bâtiments au départ radicalement différents, l'église et le palais. Quant aux tableaux qui ornaient les autels, il est vrai qu'ils étaient au nombre de sept, mais le tableau de Caravage eut tout de suite une grande célébrité (on trouvera à ce sujet tous les renseignements dans le catalogue de l'exposition *La peinture napolitaine de Caravage à Luca Giordano*, 1983, notamment dans le chapitre Caravage à Naples (Mina Gregori), p. 45-53 et dans la fiche consacrée au tableau, p. 180-183: cf. notamment l'important article de M. Fagiolo dell'Arco cité dans la bibliographie).

Sepulchre du Roi Ladislas.

17. L'église de Saint-Jean in Carbonara: le tombeau du roi Ladislas (de Rogissart, II, fol. 486).

arcades et élevé au-dessus d'un perron, le tout en pierre de taille avec des statues de marbre: c'est l'entrée de l'église de la Miséricorde en plan octogone, ornée de sept tableaux de bonne main dans la manière de l'*Espagnolet*. Les chambranles, les balustrades, et le pavé sont tout de marbre.

L'église de l'hôpital de l'Anonciade [67] est fort enrichie de peintures, entr'autres de deux grands sujets peints à huile avec beaucoup d'art par le chevalier *Massimo*, et l'on voit, à la droite, le tableau de la purification qui est un des plus beaux ouvrages de *Charles Melin*, dit le *Lorain* qui avoit du goût et de la corection, mais peu de coloris. Ce tableau a été gravé à l'eau forte. Les deux autres tableaux dans le fond des deux croisées sont de *Luca Giordano*, mais les angles des arcades du sanctuaire vers la gauche sont du fameux *Lanfranc* qui y a peint des sujets de St. Joseph. L'on trouve dans le retour à droite, après la chaire du Prédicateur, un petit autel dans la croisée dont le tableau est dans la manière de *Raphaël*. L'on y voit la S.te Vierge, l'enfant, St. Jean et un autre saint; ce morceau mérite bien l'atention des curieux. Les deux autres tableaux suivans du même côté sont aussi de cette école. Je remarquay au reste une

[67] Le texte qui suit est important: Delamonce nous décrit l'état de cette belle église de l'Annunziata en 1719 et l'on sait qu'elle fut presque totalement détruite par un incendie en 1757 (c'est à son propos que Sade, p. 405, qui visite Naples avec, à la main, le guide de l'abbé Richard prend ce dernier, qu'il n'estime pas, très violemment à parti parce que, en 1766, il décrit une église et ses tableaux, brûlés neuf ans auparavant!). La description de Delamonce correspond parfaitement aux indications de Celano: tableaux du Cavaliere Massimo (le peintre Stanzione), de Ch. Mellin, de Lanfranc et, sous l'orgue, un tableau que, à l'époque, on attribuait volontiers à Raphaël: cf. Celano, p. 945-949 et les notes de Chiarini, *ibid.*, p. 1190-1191. Les deux tableaux des croisées que Delamonce attribue à Giordano sont en réalité de F. De Mura, disciple de Giordano et de Solimène.

Notons au passage que, à chaque occasion, Delamonce manifeste son estime pour Massimo Stanzione qui travailla surtout à Naples de 1630 à 1650 (cf. *La peinture napolitaine de Caravage à Giordano*, 1983, p. 284-289) et dont Cochin reconnaît lui aussi qu'il « avait vraiment du mérite » (Cochin, p. 196).

L'église, reconstruite (1760-1782) par Vanvitelli et son fils Carlo, a été gravement endommagée par un bombardement au cours de la dernière guerre.

balustrade de marbres prétieux et de bronze doré qui est une des plus riches de cette ville.

L'église de St. Dominique le majeur [68] contient encore plusieurs singularitez [199 v] dignes de remarque. Je commenceray par le détail de la sacristie. Son plafond est peint par le *Solimène*, le reste est de *Jacques del Po*, son élève, et dont le tableau de l'autel est de bonne main. L'on a rangé dans tout l'intérieur de ce lieu des cercueils de plusieurs princes de Naple qui sont suspendus contre les murs, avec les marques de la dignité royale. L'église de ce monastère renferme aussi plusieurs curiositez très considérables. Je remarquay entr'autres choses, au-dessus d'une petite porte, un excellent tableau d'*André Salario* [69], fait en 1524 où il a représenté la purification.

[68] La description de la sacristie avec son plafond de Solimène (cf. Bologna, p. 110-111 et 261), les fresques de Giacomo del Po, *L'Annonciation* sur l'autel d'un peintre napolitain du XVIe siècle (?) et surtout avec les cercueils, alignés sur deux rangs depuis 1707, contenant les corps embaumés de princes napolitains, est très exacte: cf. L. de la Ville sur Yllon, *La sagrestia di S. Domenico Maggiore*, dans *Nap. Nob.*, I, 1892, p. 185-189.

Quant aux tableaux, l'énumération de Delamonce est rapide: *L'Annonciation* du Titien, *La Vierge à l'enfant avec S. Jean* de Raphaël et la très belle *Flagellation* qui en réalité est de Caravage (aujourd'hui le tableau est à Capodimonte et est remplacé par une copie de A. Vaccaro). Sur ce tableau célèbre, cf. *La peinture napolitaine de Caravage à Giordano*, 1983, p. 183-185 (avec toute la bibliographie).

Cochin (p. 165) et plus tard Lalande (VI, p. 125) ne sont guère plus prolixes; le premier ne cite que le tableau « fort noirci » de Caravage tandis que Lalande insistera davantage sur les fresques de la sacristie.

Soulignons que, là encore, Delamonce ne connaît pas ou ne veut pas connaître Caravage (cf. *supra*, p. 126, n. 66). Sur Giacomo Del Po, cf. récemment N. Spinosa, *Pittura sacra a Napoli nel '700*, 1980, notamment, p. 40-48, avec la bibliographie (l'article important reste celui de M. Picone, dans *Bollettino d'Arte*, 1957, p. 163-172 et 309-316).

[69] Andrea ou plutôt Antonio Solario (et non Salario) est plus connu sous le nom de lo Zingaro (le bohémien). Il peignit à Naples au temps de la reine Jeanne, donc au début du XVe siècle: cf. N. F. Faraglia, *Due pittori per amore*, dans *Nap. Nob.*, III, 1894, p. 113-117; sur les œuvres du Zingaro à Naples aux XVIe et XVIIe siècles, cf. B. Croce, *A. da Solario*, dans *Nap. Nob.*, VI, 1897, p. 122. Selon Celano, il y avait plusieurs œuvres du Zingaro à S. Domenico Maggiore.

Je vis aussi avec une vraye satisfaction une Anonciation dans le fond de la croisée qui est un ouvrage admirable du célèbre *Titien* pour le coloris. On trouve aussi dans une des chapelles suivantes, du côté de l'Épître, une Flagellation du Sauveur digne de l'*Espagnolet*. Enfin, je goutay avec un plaisir infini la vue d'un prétieux tableau de l'incomparable *Raphaël d'Urbin* qui est dans la chapelle de St. Joseph, au-dessus d'une épitaphe où il y a représenté une S.te famille d'une composition que l'on ne voit pas en estampe. C'est un ouvrage d'autant plus estimable qu'il est de la plus parfaite manière de ce grand maître. Je ne dois pas oublier que je trouvay encore dans cette église un cercueil antique avec des basreliefs.

En face de la rue des libraires se présente une piramide superbe [70], élevée à l'honneur de St. Pie pape, toute construite de marbre et qui n'est pas d'un meilleur dessein que celle de St. Janvier, quoique très différente, et où la dépence a été aussi mal employée.

L'église de S.te Catherine de Sienne [71] a été embellie de peintures de *Luigi Garzi*, élève d'*André Sacchi* qui a beaucoup travaillé à Rome.

[70] C'est la Guglia di San Domenico dont la construction fut décidée après la peste de 1656 et qui ne fut terminée qu'en 1737. On notera là encore le jugement de Delamonce qui commence par déclarer cette pyramide « superbe », puis insiste sur le mauvais goût dont elle témoigne.
À l'époque de la visite de Delamonce, Pie V venait d'être sanctifié par Clément XI (1712). On le considérait alors à Naples comme le protecteur de la cité presque au même titre que San Domenico lui-même; Pie V figure d'ailleurs en effigie sur un des côtés de la pyramide: cf. l'article cité plus haut (n. 57) de G. Cantone qui retrace très clairement l'histoire de cette Guglia (p. 49-51) et qui précise bien que l'actuelle statue de San Domenico, due à D. A. Vaccaro, ne fut placée là qu'en 1737; cf. ici fig. 18.
[71] Il s'agit, en fait, de Santa Caterina a Formello, église du début du XVIᵉ siècle qui se trouve près de la Porte de Capoue. Delamonce ne retient là encore que les peintures ou les fresques les plus récentes: c'est dans les toutes dernières années du XVIIᵉ siècle que les Dominicains avaient confié la rénovation de la nef au peintre romain L. Garzi qui peignit alors la vie de sainte Catherine: cf. G. Ceci, *La chiesa e il Convento di S. Caterina a Formello*, dans *Nap. Nob.*, X, 1901, p. 178-183. Sur l'activité de L. Garzi à Naples (1695-1697), cf. O. Ferrari, *loc. cit.* (*Storia di Napoli*, VI, 2, p. 1318).

C'est de la petite place au devant de cette église, en face de la porte de Capoue, que l'on découvre le mont Vésuve le plus distinctement de tous les endroits bas de cette ville. Ce célèbre volcan vomissoit alors beaucoup de flammes.

[200 r] J'entray dans l'église des Incurables [72], en venant de St. Paul. J'y vis à main [sic], au-dessus d'un tombeau, un tableau d'une grande beauté, représentant le portement de la croix du Sauveur en trois figures à demy cors, un peu au-dessous de la grandeur naturelle, qui me parut de l'école des Caraches telle que de la plus parfaite manière du *Guide*. La vierge suivante avec des anges et des chérubins est aussi d'un très beau pinceau et le tableau de St. Charles, faisant amende honorable, est encore d'une fort bonne main, sans oublier la naissance du Sauveur de l'*Espagnolet*. Enfin, le crucifix, peint à huile, est un original de *Michelange*, mais dont le coup d'œil n'est pas avantageux. L'on y voit aussi deux sujets que le *Bélisaire* a peint à fresque fort artistement. De l'autre côté il y a une vierge admirable avec des anges et deux apôtres qui paroît de *Raphaël*, de même que le Sauveur au tombeau, placé au-dessus de la petite porte d'une chapelle obscure.

Je vis dans l'église de S.te Marie de la Santé [73] la Confession

[72] Cette église (Santa Maria del Popolo degli Incurabili) faisait alors partie des monuments célèbres de Naples: on racontait l'histoire de sa construction, la piété et l'humilité de sa fondatrice qui avait demandé l'aumône pour achever l'édifice (début du XVIe siècle) qui contenait les tombeaux d'un certain nombre de personnages qui avaient fait donation de leurs biens; au-dessus de l'un des tombeaux, il y avait le tableau de Caracciolo représentant « dans le style des Carraches » *La marche du Christ au Calvaire* (Celano-Chiarini, p. 597), aujourd'hui au Musée de San Martino; mais l'église était surtout célèbre pour ses tombeaux et leurs épitaphes. On notera une fois de plus l'intérêt de Delamonce pour la peinture napolitaine (*La naissance du Sauveur* attribuée alors à Ribera l'est aujourd'hui à Carlo Sellitto, cf. le catalogue de l'exposition *Sellitto* à Naples, 1977 et *La peinture napolitaine de Caravage à Giordano*, 1983, p. 273-275.

[73] C'est l'église Santa Maria della Sanità, située dans le quartier de la Sanità, c'est-à-dire entre le Musée National et celui de Capodimonte: église des Dominicains, édifiée au début du XVIIe siècle, elle est construite sur la crypte de San Gaudioso, du Ve siècle, qui avait été plus au moins abandonnée au Xe Siècle et qui fut réaménagée par Fra' Nuvolo, l'architecte de l'église.

Palmi
5   10   20

18. La "Guglia élevée à l'honneur de S^t. Pie pape" (de Rogissart, II, fol. 525). On notera les transformations qu'a subies la "guglia"; entre autres la statue de Saint Pie V a été remplacée par celle de Saint Dominique.

ou chapelle souterraine, l'arcade, le tabernacle, le pavé et la balustrade, tous enrichis de beaux marbres. J'y trouvay aussi une inscription grecque assez particulière.

Vous serez sans doute surpris, Monsieur, que décrivant une ville si ancienne et si considérable du tems des Romains, je fasse si peu mention de ses antiquitez, dont vous auriez sujet de croire qu'il y en a encore beaucoup de considérables [74]. Je vous avoue de bonne foy que j'en ay vu si peu, quoique j'aye parcouru cette ville avec de bons guides, qu'à peine puis-je vous en citer quelqu'unes, après le temple dont je vous ay parlé, d'autant qu'outre les grandes révolutions qui y sont arrivées si souvent, les fréquents tremblemens de terre ont achevé de les détruire. Mr. Deseine, dans sa briève description d'Italie, qui y fit un voyage sous le pontificat d'Innocent XI, dit que de son tems l'on [voyait] encore plusieurs ruines antiques, depuis le perron de l'archevêché duquel j'ay parlé jusqu'à St. Pierre à Mayela, à St. Agnello, à St. Dominique et au Jésus et que dans un des faubourgs il y avoit encore des aqueducs

---

C'est en dégageant les catacombes voisines que l'on trouva l'inscription grecque qui relate la mort d'une petite fille de quatre ans et deux mois (Celano, p. 1899-1900). Sur cette église de la Sanità, cf. G. Ceci, *La fondazione della chiesa e del Convento di Santa Maria della Sanità*, dans *Nap. Nob.*, Nuova Serie, I, 1920, p. 9-12 et *ibidem*, p. 94-97.

[74] Voici un paragraphe plein d'intérêt qui nous permet de nous faire une idée du goût réel de Delamonce; au vrai, il introduit ce chapitre des antiquités comme il avait inséré sa page sur la nourriture: c'est une diversion dans la longue énumération des églises.

Première remarque, il n'a pas l'air de se douter que Naples est d'abord une ville grecque et il se préoccupe, ou dit se préoccuper, seulement de son passé romain; deuxième remarque, nous apprenons à cette occasion qu'il a visité la ville avec de « bons guides », ce qui est normal; par ailleurs, il cite le *Voyage d'Italie* de Deseine, et c'est là aussi une des rares fois où il indique l'une de ses sources. Cela rappelé, il faut bien dire que Delamonce ne s'intéresse visiblement pas aux antiquités de Naples et des environs. Non seulement il ne va pas visiter les Champs Phlégréens qui, de tout temps, ont passionné les voyageurs cultivés qui rêvent de Virgile ou d'Agrippine, non seulement il ne dit pas un mot des catacombes, mais il ne dit rien du tombeau de Virgile. C'est sans doute le silence le plus surprenant de ce *Voyage de Naple*. À ce sujet, cf. Introduction, p. 33 et sq.

antiques assez conservez que l'on pouvoit netoyer sans en soustraire l'eau; il ajoute qu'ils ne sont pas [200 v] allignez, mais biaisez en serpentant pour empêcher le trop grand afflux [?]^a de l'eau.

J'ay vu seulement [75] dans une rue basse en vallée, qui est à la gauche en arrivant de Rome et où il y a un petit pont où l'on traverse un petit ruisseau, un assez grand édifice antique de brique, percé de grandes arcades et fort endomagé. Voicy au reste ce que j'ay pu encore en découvrir. Ce sont de très belles collonnes antiques du temple de Neptune dans l'église de S.te Restitue.

J'apris encore que l'église de St. Jean le Majeur étoit une restauration d'un temple bâti par l'empereur Adrien où il y a aussi un tombeau antique, dit le *Parthénope*. Enfin, sous les Célestins de S.te Catherine, l'on y conserve un très beau buste antique de marbre de l'empereur Auguste.

Voilà, Monsieur, tout ce qui est parvenu à ma connoissance, ne pouvant vous décrire ce que je n'ay point vu. Permetez au reste que je finisse cet article des antiquitez par une réflexion sérieuse que je ne sçaurois vous dissimuler.

Je confesse ingénûment que nous avons beaucoup d'obligations aux anciens, tant à l'égard des sciences qu'au sujet des beaux-arts [76]. Il faut leur rendre cette justice, puisqu'ils ont été les premiers qui ont défriché le terrain inculte et qui nous ont laissé leurs découvertes et leurs louables productions; mais tout cela une fois bien entendu, pourquoy, au lieu d'admirer simplement leurs ouvrages, les adorer? C'est ainsi que j'exprime la prédilection outrée qu'ont tant de per-

[75] Suit une énumération rapide, mais assez précise des « antiquités » de Naples, du moins celles qu'il a pu voir: l'aqueduc des Ponti Rossi (grands arcs de brique); les colonnes antiques réutilisées dans la Basilique de Santa Restituta (cf. *supra*, n. 56, Celano, p. 361 et R. Di Stefano et F. Strazzullo, *Restauri e scoperte nella cattedrale di Napoli*, dans *Nap. Nob.*, X, 1971, p. 44-49), le temple (d'Hercule?) sur lequel a été construit San Giovanni Maggiore (cf. G. Borrelli, *La Basilica di San Giovanni Maggiore*, 1967); l'inscription (médiévale) qui se trouve dans cette église et qui porte le nom de Parthénope (cf. Celano, p. 1304 et *Storia di Napoli*, I, p. 393 et fig. 19).

[76] Sur tout ce passage, cf. Introduction, p. 34-36.

^a Mot en fin de ligne, pour nous pratiquement illisible.

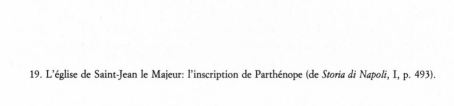

19. L'église de Saint-Jean le Majeur: l'inscription de Parthénope (de *Storia di Napoli*, I, p. 493).

sonnes qui suposent leurs ouvrages absolument parfaits et incomparables: ne vous scandalisez pas, Monsieur, je renferme à présent ma réflexion dans la seule architecture.

En vérité, lorsque je considère sans prévention la répétition presque continuelle de la forme de leurs temples, desquels la plus grande partie est presque semblable, je ne puis m'empêcher d'être choqué de cette stérilité d'idées. Car enfin, après le choix de quelqu'un des cinq ordres qui est la chose du monde la plus aisée, de [201 r] même que la différente distribution du nombre ou de la distance des collonnes et des pillastres pour le portique de ces temples, en quoy consistoit toute la différence concernant les temples quarez longs et lesquels portiques étoient toujours couronnez d'un fronton angulaire, quelle composition plus bornée que celle-là? Telle est cependant celle des temples, de ces quarez que j'ay décrits, ainsi que la plupart de ceux de Rome, de toute l'Italie, de France, de la Grèce et même d'Égypte etc., n'y ayant qu'un très petit nombre de différens qui sont ronds ou octogones, tandis que généralement tous les plus habiles architectes modernes se seroient cru déshonorez s'ils n'avoient pas imaginé d'autres combinaisons, d'autant plus ingénieuses qu'elles sont entièrement différentes les unes des autres et qui ainsi prouvent dans leurs productions autant de fertilité, de génie que les anciennes paroissent limitées et ordinaires. Je ne parle même que des compositions les plus régulières, n'y comprenant pas dans ce nombre les desseins trop bizares et capricieux. Pardonez-moy, je vous prie, Monsieur, la franchise de mes sentimens.

Je continue la recherche des objets les plus dignes de remarque. L'église de St. *Nicolini* [77], dans la rue de Tolède, a été fort

---

[77] Il s'agit en réalité de l'église de San Nicola alla Carità; c'est une construction de la seconde moitié du XVIIe siècle (restaurée au XIXe siècle) qui n'est pas particulièrement visitée par les voyageurs; ce n'est pas alors une église célèbre et Celano ne lui consacre qu'une demi-page (p. 731). On notera que Delamonce visite systématiquement les églises contemporaines qui sont décorées par le peintre qu'il admire le plus, F. Solimène. Cette église présente en effet un ensemble remarquable de fresques (nef de la voûte centrale et mur intérieur de la façade) ainsi que deux tableaux célèbres dont *La Madonna col Bambino, San Pietro, San Paolo e angeli* (vers 1684). Sur cet ensemble, cf. Bologna, p. 56, 63, 76 et 263.

embellie par des peintures à fresque du *Solimène* qui y a peint toute la voûte en plusieurs sujets de la vie de St. Nicolas; il y a aussi représenté les apôtres et des vertus dans les lunètes et deux sujets dans le fond, sçavoir le prédication de St. Jean et St. Paul. Les deux tableaux à huile dans la croisée sont aussi de cette main sçavante.

J'admiray dans l'église de la Trinité [78] un tableau de St. Jérôme de l'*Espagnolet* et l'entrée du Sauveur dans Jérusalem d'une [*sic*] grand maître anonime. L'autel est enrichi de belles collonnes de marbre violet, de gradins d'agathe et de paneaux d'autres marbres rares, ainsi que les autels et le pavé en marqueterie qui est superbe de même que la balustrade. D'ailleurs cette église est agréablement précédée d'un perron circulaire, fort gracieux et orné de sculpture.

Le portail de l'église de la Sapience [79] est remarquable [201 v] par un beau portique en trois arcades, avec des collonnes yoniques de brèche, acompagnées de pillastres, le tout élevé sur un perron à deux

[78] C'est l'église de la SS. Trinità delle Monache, qui fait partie de l'Ospedale militare; elle était célèbre à la fin du XVIIe siècle pour la richesse de son ornementation; les sœurs avaient disposé sur le grand autel un « tabernacle avec des statuettes d'argent, rehaussé de diamants, émeraudes, rubis, perles etc. Mais tout fut dispersé » (Celano, p. 1635). On admirait aussi la façade précédée d'un perron semi-circulaire avec des talamons de marbre, œuvre de C. Fanzago (milieu XVIIe). Le *Saint Jérôme* est le magnifique tableau qui se trouve aujourd'hui au Musée de Capodimonte (il est resté dans l'église de la Trinità jusque vers 1813). Sur l'histoire et l'importance de ce tableau, cf. *La peinture napolitaine de Caravage à Giordano*, 1983, p. 261-262, avec la bibliographie (cf. notamment N. Spinosa, *Ribera*, 1978, p. 96).

[79] C'est l'église de Santa Maria della Sapienza (première moitié du XVIIe siècle) dont le portique et la façade ont été dessinés par C. Fanzago. On retrouve encore ici le goût de Delamonce pour les architectures baroques; l'église fut décorée de fresques et de tableaux de peintres (spécialement napolitains) du XVIIe siècle: cf. A. Colombo, *Il monastero e la chiesa di Santa Maria della Sapienza*, dans *Nap. Nob.*, XI, 1902, p. 67-71. Sur le portique de Fanzago, cf. L. Serra, *Note sullo svolgimento dell'architettura barocca in Napoli, II, Cosimo Fanzago*, dans *Nap. Nob.*, III, 1923, p. 1-2. Celano-Chiarini qui cite cette église comme « une des plus notables de la cité pour les œuvres d'art qu'elle contient » (Stanzione, Dominiquin etc.) ne signale aucune œuvre de Ribera.

rampes; l'on y trouve aussi des tableaux de l'Espagnolet à côté de la porte intérieure.

Je distinguay dans l'église des Augustins déchaussez [80] quelques peintures choisies. J'y fus surtout enchanté par l'excellent tableau de la chapelle à gauche. L'on y voit l'enfant Jésus, la sainte Vierge et plusieurs Saints et Saintes. C'est le chef-d'œuvre de *François Mathieu Preti*, dit le Calabrese, qui étoit véritablement chevalier de Malthe par le rang de sa naissance, mais qui, ayant un grand penchant pour la peinture et de grands talens, se laissa entraîner dans l'exercice de ce bel art où il fit un très grand progrez, n'ayant pas dédaigné de vendre. Élève de *Lanfranc* qui n'oublia rien pour le perfectionner, il fit ce tableau en 1656. L'on trouve dans une autre

[80] L'église (près du Musée National) s'appelle en réalité Santa Maria della Verità, mais elle est plus connue sous le nom de S. Agostino degli Scalzi: c'est une construction de la première moitié du XVIIᵉ siècle. Le tableau *Madonna di Costantinopoli* de Mattia Preti, dit Il Calabrese (1613-1699), se trouve dans la première chapelle et date effectivement de 1656 (après la peste): cf. Celano, p. 1863-1866.

On sait que c'est en 1656 que Mattia Preti, âgé de 43 ans, quitta Rome où il s'était établi tout jeune, pour venir à Naples, alors ravagée par la peste. Il eut tout de suite de nombreuses commandes, notamment de la part des ordres religieux (entre autres la communauté augustinienne de Naples qui lui commanda la *Madone de Constantinople*, et les religieuses de l'église de San Sebastiano, qui lui demandèrent un *Saint Sébastien*, qui ne fut pas accepté parce qu'il « manquait de noblesse et de beauté »). C'est vers 1661 qu'il s'établit à Malte où il travailla pendant près de quarante années. On notera en passant que, une fois de plus, Delamonce est très anecdotique et s'intéresse plus aux détails de la vie qu'aux caractéristiques de l'œuvre.

Pour décorer leur église de S. Agostino degli Scalzi, les Augustiniens firent aussi appel à Luca Giordano, qui était tout jeune (il avait 22 ans) et qui reçut la commande de deux tableaux d'autel: l'un est *Saint Thomas de Villeneuve distribuant les aumônes* (Thomas de Villeneuve fut canonisé en 1658), l'autre représentait *L'Extase de Saint Nicolas de Tolentino*. Très vite, ces deux tableaux jouirent d'une grande réputation: cf. la fiche sur le tableau *Saint Thomas de Villeneuve* dans *La peinture napolitaine de Caravage à Giordano*, 1983, p. 220-221, avec les références. L'autre tableau de Luca Giordano auquel Delamonce fait allusion est sans doute *La Madone du Rosaire*, exécuté pour l'église de la Solitaria, et qui se trouve aujourd'hui à Capodimonte: cf. O. Ferrari et G. Scavizzi, *Luca Giordano*, 1966.

chapelle le martir d'un saint de *Luc Giordano* qui a fait aussi un bon tableau dans l'église des Jacobins, dite du Rosaire.

Je trouvay dans l'église de S.te Claire [81] un tableau de l'incrédulité de St. Thomas de *François Salviati*, florentin, mais il est d'une composition différente de celle de Lyon dans la chapelle de Guadagne de l'église des Jacobins. Je remarquay dans une autre chapelle un beau cercueil antique de marbre fort enrichi de basreliefs; il est du côté de l'Évangile, en face d'un autre. L'on y voit aussi plusieurs tombeaux gothiques, cette église et le monastère ayant été fondé par le roy de Naple de la maison d'Anjou. Je vis avec surprise la magnificence du tombeau du fameux chevalier Marini, poète fameux, qui vivoit sous le pontificat d'Urbain VIII.

[81] La description de cette magnifique église gothico-provençale du XIVᵉ siècle est évidemment antérieure aux transformations baroques qu'elle subit vers 1750 et qu'elle conserva jusqu'à la restauration de l'immédiat après-guerre (à la suite du bombardement du 4 août 1943). Le sarcophage que note Delamonce est du IVᵉ siècle av. J.-C. et fut réutilisé en 1632 pour la tombe de G. B. Sanfelice; mais le monument le plus célèbre est le tombeau de Robert d'Anjou (mort en 1343) et des membres de sa famille. Sur ces tombeaux, œuvres d'un sculpteur florentin, cf. E. Bertaux, *Magistri Johannes et Pacius de Florentia marmorii fratres*, I, dans *Nap. Nob.*, IV, 1894, p. 134-138.

On consultera surtout les chapitres de O. Morisani, *L'arte di Napoli nell'età angioina*, et A. Venditti, *Urbanistica e architettura angioina*, dans *Storia di Napoli*, III, 1969, notamment les pages 764-766 et 871, avec toute la bibliographie.

Notons en passant que les voyageurs d'après 1750 n'auront pas de mots assez violents pour condamner la barbarie du geste qui transforma en « salle de bal » (Sade, p. 407) l'église qu'avait illustrée le talent de Giotto. Mais on notera aussi que les voyageurs précédents (Misson, Cochin, Delamonce) apparaissent plus qu'indifférents à la beauté de cette église. On ajoutera enfin que Delamonce se trompe dans ses notes: le tombeau du « Chevalier Marino », l'auteur de l'*Adone* (mort en 1625), se trouve aux Saints-Apôtres, et son cénotaphe à San Domenico Maggiore et non à Santa Chiara. Quant au St. Thomas qui lui rappelle, malgré des différences, le St. Thomas de Salviati qui ornait la chapelle des Gadagne dans l'église des Jacobins de Lyon (cf. Clapasson, *Description de la ville de Lyon, 1741*, éd. G. Chomer et M. F. Perez, 1982, p. 61, n. 8), nous ne saurions affirmer à quel tableau Delamonce fait allusion (il y avait à Santa Chiara un St. Thomas de Marco de Siena, Lalande, VI, p. 114, mais il n'y avait pas de Salviati).

Les amateurs de la peinture ont lieu d'être satisfaits des peintures de l'église de S.te Anne des Lombards[82], où il y a des tableaux d'*Hanibal Carache*, du *Dominiquin* et une Résurrection du *Caravage,* maître de l'*Espagnolet* et duquel on voit encore un tableau de St. Pierre dans S.te Marie des Grâces.

Je fus très content du portique des Religieuses de St. Jean[83], orné de huit collonnes composites avec leur entablement, les chapiteaux desquelles sont surtout d'une exécution merveilleuse.

[201 r [*sic*]] L'église de St. Jean des Florentins[84] contient plu-

---

[82] Comme son nom l'indique (Chiesa di Monteoliveto ou Sant'Anna dei Lombardi), cette église était devenue celle de la « nation lombarde », après que leur ancienne église eût été détruite par un tremblement de terre; on la considère aujourd'hui à juste titre comme l'église de Naples la plus importante pour l'époque de la Renaissance; mais ce n'est pas cela qui intéresse nos voyageurs du XVIIIᵉ siècle, Delamonce compris; ce sont les tableaux (ils ne sont plus là aujourd'hui) des peintres contemporains, ou du moins récents. Cochin raconte longuement l'histoire du tableau représentant St. Dominique auquel l'enfant Jésus donne un chapelet: à l'origine, le Saint était St. Bruno et le tableau était destiné aux Chartreux; comme il finit chez les Dominicains, on demanda à Luca Giordano d'en faire un St. Dominique (p. 171). Il décrit également longuement la *Résurrection* du Caravage, « beau morceau », dont il avoue ne pas connaître le nom de l'auteur. Selon Mina Gregori, qui a étudié le Caravage à Naples dans le catalogue de l'exposition *La peinture napolitaine de Caravage à Giordano*, « la *Résurrection* perdue de Sant'Anna dei Lombardi, qui montrait le Christ quittant le tombeau à pied et s'avançant parmi les soldats (au lieu d'être enlevé au ciel) était une trouvaille singulière qu'on ne cessait de citer » (p. 51). Rappelons à ce propos le jugement de Cochin: « Le Christ n'est point en l'air et passe au travers des gardes, ce qui donne une idée basse et le fait ressembler à un coupable qui s'échappe de ses gardes » (Cochin, p. 171-172).

[83] Visiblement, Delamonce insère dans son texte des fiches ou des notes de visite, ou de lecture. Avec toutes les possibilités de documentation dont nous pouvons disposer aujourd'hui, cela peut sembler puéril et vain. Mais en fait, c'est un moyen d'informer ses confrères lyonnais, d'autant plus qu'il présente des données toutes récentes: l'église de San Giovanni Battista (ou San Giovanniello) delle Monache est de la fin du XVIIᵉ siècle et l'atrium avec ses grilles de fer ainsi que la façade avec « ses colonnes de piperno d'ordre corinthien de style borominesque » (Chiarini-Celano, p. 748) devait être en cours d'achèvement lorsque Delamonce était à Naples.

[84] Cette église fut à peu près complètement détruite par un bombardement

---

sieurs bons tableaux de leurs plus fameux maîtres, tels qu'*André del Sarto*, le *Salviati* et autres.

L'abaye des Bénédictins de *Dona Regina*[85] est de fondation royale, leur église est fort enrichie de dorures, de marbres rares, en incrustation et en marqueterie et surtout de peintures, entr'autres de *Luc Giordano* qui a fait les deux grands en longueur à côtez du maître autel où il a peint la multiplication des pains et les noces de Cana. L'on dit que ce sont de ses derniers ouvrages faits dans un âge très avancé, quoique l'on y reconoissance [*sic*] encore une très grande intelligence des principes de son art. Le fameux *Solimène*, son élève, a aussi peint dans cette église un St. François prosterné devant le Père Éternel; il est dans une des chapelles du côté de l'Épitre et il a embelli à fresque toute la voûte du cœur de Religieuses en plusieurs sujets. Au reste, le tableau de l'Anonciation est un bel ouvrage du Cav. *Massimo*, ainsi que les peintures à fresque à côté des vitraux du cœur, et celles de voûte de la nef. Le portail, quoique en partie construit en marbre et en pierre

au cours de la dernière guerre. Chiarini-Celano ne mentionne pas les œuvres des deux peintres florentins qu'indique ici Delamonce.

[85] Delamonce parle évidemment de l'église baroque Santa Maria Donnaregina construite dans la première moitié du XVIIᵉ siècle (l'église contiguë, de même nom, du XIVᵉ siècle, avec le beau tombeau de la reine Marie de Hongrie (1323) et ses célèbres fresques, était, au XVIIIᵉ siècle, incorporée dans le couvent des Clarisses et on ne la visitait pas: cf. Don Ferrante, *Santa Maria di Donna Regina*, dans *Nap. Nob.*, VIII, 1899, p. 65-68). L'église que décrit Delamonce comporte une nef richement décorée de marbres polychromes, et les peintures de Giordano et de Solimène sont célèbres. L'Annonciation était déjà à l'époque considérée comme étant de Mellin, et non pas du Cavaliere Massimo (cf. Celano, p. 576).

Il est vrai que les deux immenses tableaux de Luca Giordano (*La multiplication des pains et des poissons* et *Les noces de Cana*, aujourd'hui à Capodimonte) sont des œuvres de vieillesse du grand peintre napolitain, puisqu'il les entreprit, comme ses réalisations de la Chapelle de San Martino, après son retour d'Espagne en 1702 (il avait alors près de 70 ans). Delamonce répète l'information qu'on lui a donnée et note dans un commentaire superficiel que l'on peut garder du talent malgré l'âge, au lieu de définir ce qu'a été la dernière manière de Luca Giordano (cf. O. Ferrari, *Storia di Napoli*, VI, 2, p. 1323).

de taille, est d'un fort médiocre dessein qui en fait regreter la dépence.

J'allay voir dans l'église de *Dona Aluina*[86], autre abaye de distinction, d'autres peintures de *Solimène* qui y a peint les 4 pendentifs du dôme et tous les trumeaux de son tambour, exécutés à huile avec un grand succez.

Je remarquay le grand clocher[87], proche l'église des grands Carmes, qui est à six étages, bâti en partie de pierre et de marbre; il est décoré de quatre ordres de pillastres avec un attique au-dessus. On l'apelle il *Torrione del Carmine*; c'est où l'on sonne le tocsin lorsqu'il y a quelqu'alarme ou quelque sédition publique. L'on voit dans cette place une petite chapelle[88] qui renferme le lieu où l'infortuné Roy Corradin eut la tête tranchée...

[86] Il s'agit de l'église Santa Maria Donnalbina dont l'origine remonte au XIe siècle, mais qui a été plusieurs fois restaurée et transformée. Les fresques de la coupole et des pendentifs sont effectivement de Solimène, ainsi que les toiles de la croisée représentant les *Histoires de la Vie du Christ* (vers 1700).

Les critiques qui se sont occupés récemment de l'œuvre de Solimène reconnaissent tous que, suivant les analyses pertinentes de Bologna, les années 1690 ont marqué un tournant dans la manière de Solimène. Il est vrai que, de temps à autre, Delamonce, même s'il est peu sensible à l'histoire (cf. Introduction, p. 41), note des évolutions dans les styles. Mais ne lui prêtons pas plus de finesse critique qu'il n'en a. L'ensemble de l'œuvre de Solimène à Donnalbina (coupole et tableaux décorant les côtés du transept) prend place entre 1696 et 1701 et apparaît caractéristique du passage de Solimène « d'une manière vigoureusement baroque, influencée par M. Preti à des solutions formelles plus rationalistes où l'on retrouve un reflet de la littérature de l'Arcadie et du cartésianisme, dont on sait l'intérêt qu'il suscita dans les milieux culturels de l'époque à Naples » (N. Spinosa, *Pittura sacra a Napoli nel '700*, 1980, p. 72, qui résume ainsi l'essentiel des analyses de Bologna). Soit! Mais, pour Delamonce, c'est toujours du Solimène, « exécuté avec un grand succès ».

[87] Sur ce clocher du XIVe siècle et son histoire, cf. S. Di Giacomo, *Santa Maria del Carmine Maggiore*, 2, dans *Nap. Nob.*, I, 1892, p. 57. Il est vrai qu'il a toujours joué un rôle important dans la vie populaire de Naples, comme en témoigne la Fête du Torrione que l'on célèbre aujourd'hui encore chaque année, le 16 juillet; cf. fig. 20.

[88] Il s'agit d'une petite chapelle construite au milieu du XIVe siècle par un maître artisan, Domenico de Persio, qui voulut que restât le souvenir de Corradin. Cette chapelle fut détruite par un incendie en 1781: cf. S. Di Gia-

L'église de ces Pères ne seroit pas un édifice remarquable, si elle ne contenoit de très belles peintures à fresque du même *Solimène* [89] dont j'ay déjà souvent parlé. Elles sont dans une chapelle de la croisée, du côté de l'Évangile. Elles en décorent la voûte et les murs depuis les arcades. Le tableau de l'autel [201 v [*sic*]], peint à huile, et représentant l'Assomption est aussi de cette habile main. Les marqueteries de marbre et les incrustations de 4 niches sont des plus magnifiques. J'observay aussi que les seise angles des arcades de la nef sont d'un autre pinceau distingué, qui y a peint la vie du Sauveur.

Je trouvay à mon grand étonement dans l'église des couches imaculées de la vierge [90], derrière l'autel, le tombeau du fameux poète *Sanazar*, encore plus superbe que celuy du *Marini* et d'ailleurs acompagné des statues de David et de Judith avec des génies qui environent son buste, et sur le cercueil un basrelief de figures qui me parurent trop profanes pour la sainteté du lieu. Ce riche monument, quoique sans [...], est d'une grande aparence eu égard à la personne du défunt.

como, *Santa Maria del Carmine Maggiore*, 1, dans *Nap. Nob.*, I, 1892, p. 21 et L. de la Ville sur Yllon, *La cappella espiatoria di Corradino*, dans *Nap. Nob.*, V, 1896, p. 150-153. Tous les voyageurs vont voir cette place et la chapelle et consacrent quelques phrases émues au sort de Corradin; selon Misson (II, p. 111) c'est Charles Ier d'Anjou qui ordonna la construction de cette chapelle.

[89] Voici encore une preuve de l'admiration de Delamonce pour Solimène: l'église du Carmine est ornée de fresques de ce peintre (certaines ont été trop restaurées) et aussi de tableaux, notamment un *Élie et Élisée* et surtout *L'Assomption* que cite Delamonce et qui, comme le précédent, date des années 1708-1709. Sur cet ensemble, cf. Bologna, p. 80-81, 91 et 259.

[90] Il s'agit de l'église de Santa Maria del Parto qui se trouve à la Mergellina; le tombeau de Sannazar (mort en 1530) est un objet de curiosité, et d'admiration pour les voyageurs: cf. déjà Misson, II, p. 155-156, qui précise que les statues dites de David et Judith sont en réalité d'Apollon et de Minerve (Misson donne un dessin du tombeau). Cf. à ce sujet B. Croce, *La tomba di Jacopo Sannazaro e la chiesa di Santa Maria del Parto*, dans *Nap. Nob.*, I, 1982, p. 68-76 et *La chiesetta di Jacopo Sannazaro*, dans *Storie e leggende napoletane*, 4e éd., 1948, p. 213-233.

Colonne en memoire du Roy Conradin, etc.

a Chapelle della Croce.

20. Le "Torrione del Carmine" (de Rogissart, II, fol. 507).

Je vay enfin terminer, Monsieur, ce long détail des églises que j'ay [. . .], par celuy de la célèbre Chartreuse de St. Martin [91] puisque les singularitez qui la distinguent méritent bien que les connoisseurs étrangers se donnent la peine de monter sur une colline fort élevée et très rapide, dont l'on est amplement dédommagé. En effet, l'on est surpris de trouver tout le grand cloître qui environne le préau de quinze arcades, ornées de collonnes yoniques, de corniches, de balustrades, de portes, de niches, de statues et de bustes, tous de marbre blanc ou variez, ainsi que le pavé. De là on voit par une terrasse la vue surprenante de la ville de Naple, que les grands voyageurs comparent à celle du Bosphore de Constantinople. Il est vray que cette vue est presque immense puisqu'on découvre de là non seulement toute la mer qui borde cette ville, mais encore les nombreuses isles et toute l'étendue de la campagne des environs à plus de quinze lieues à la ronde. L'on voit derrière à l'aise tout le mont Vésuve. En un mot, rien au monde n'est plus varié ny plus satifaisant que ce superbe coup d'œil. Cette terrasse communique à l'apartement du Prieur, composé d'une pièce où il y a des tableaux de prix, tels que du *Titien*, du Chev. *Calabrese* et autres. L'on jouit encore d'autres vues magnifiques des autres étages de ce couvent construit sur des arcades fort solides, un peu au-dessous du château St. Elme.

[202 r [*sic*]] Au reste pour commencer avec ordre la description

[91] C'est un des hauts lieux de Naples, qu'admirent tous les voyageurs: le cloître, l'église, les tableaux, l'appartement du Prieur, la vue, tels sont les thèmes qui sont développés avec un lyrisme à peu près unanime: « lieu extra-ordinairement rempli de choses rares et magnifiques... Les diverses vues qu'on découvre de cette hauteur suspendent l'esprit en admiration », disait Misson (II, p. 93-94). De Brosses lui-même, après avoir cité les tableaux les plus célèbres de la Chartreuse, ajoute: « Mais, pour voir un tableau bien plus merveilleux que ceux-là, mettez la tête à la fenêtre... et me dites ce que vous pensez de ce coup d'œil-là » (p. 418). On admire aussi beaucoup le cloître et « l'appartement du Prieur digne d'un Prince » (Misson, II, p. 94). Sur la Certosa di San Martino et les chefs-d'œuvre qu'elle contenait, on consultera le beau livre de R. Causa, *L'arte nella Certosa di San Martino a Napoli*, 1973.

de l'église[92] de cette belle chartreuse qui est très grande eu égard à son extrême magnificence, qui est soutenue par la régularité de son architecte [sic] ce qui donne un nouveau [...] à la richesse de ses embellissemens, je commence par son vestibule acompagné de deux chapelles. Il y a dans la première un tableau de l'*Espagnolet*, l'autre oposée a été peinte par *Paul Mathei*, élève de *Luca Giordano*. Tout l'intérieur de ce beau vaisseau, composé de pillastres et d'arcades et acompagné de chapelles, est entièrement incrusté de marbre blanc ou variez, ainsi que tous les autels, les balustrades et le pavé.

Ces marbres sont mêlez avec des peintures à huile et à fresque des voûtes du *Lanfranc*, du cav. Josepin [sic], de Solimène et d'autres grands maîtres, surtout au sanctuaire et sur les autels où il y en a des *Caraches*, du *Guide*, de l'*Espagnolet* et autres. Il ne manquoit alors que le tabernacle et l'autel dont je vis les modèles en bois peint et doré, mais comme ces projets ne répondent [pas] à la prodigieuse dépense que l'on se propose d'y faire, l'on nous assura que l'on cherchoit quelque chose de plus parfait.

Je trouvoy au sortir de quoi me satisfaire dans la sacristie du Trésor qui est aussi magnifique et dont la voûte en coupole a été

---

[92] Delamonce aime le beau baroque napolitain: il vante l'élégance de cette magnifique Chartreuse, où la nef unique (l'église précédente, du XIVe siècle en avait trois) est un modèle d'accord entre l'architecture et la décoration (c'est un des chefs-d'œuvre du début du XVIIe siècle); il s'intéresse aux arts contemporains, aux modèles du tabernacle et de l'autel, aux peintres récents, dont certains travaillent encore pour l'église: c'est le cas par exemple du napolitain Paolo De Matteis (1662-1728) qui, en 1719, peignait des toiles pour une des chapelles. D'une manière générale, les voyageurs aiment les tableaux qu'on voit dans cette église, et son architecture aussi d'ailleurs, malgré le jugement de Sade qui regrette qu'on y « respire un gothique qui frappe au sortir de Rome » (p. 389). Les peintres les plus souvent cités sont toujours les mêmes: Lanfranc, Le Guide, Giordano, le Cav. d'Arpin et Ribera (l'Espagnolet), notamment le tableau de l'autel du Trésor « dans lequel ce grand maître s'est surpassé lui-même... Quelle nature! Quelle vérité! Quelle proportion... On ne peut qu'être étonné du silence de M. Richard sur ce morceau sublime » (Sade, p. 391). Sur la Chartreuse, cf. V. Spinazzola, *La Certosa di San Martino*, dans *Nap. Nob.*, XI, 1902, p. 97-103; 116-121, 133-139; 161-170 et L. Serra, *Note sullo svolgimento dell'architettura barocca a Napoli, I, dans Nap. Nob.*, III, 1921, p. 37-38, et surtout l'ouvrage de R. Causa, cité à la note précédente.

peinte par Luca Giordano. Mais rien n'égale le tableau de l'autel représentant le Sauveur mort avec les Maries et St. Jean peint en hauteur par l'*Espagnolet*, dont la composition, le dessein et surtout le coloris sont icy tels que l'on considère cet ouvrage comme son chef-d'œuvre, étant d'ailleurs colorié presque dans le goût de *Vandeik* [93].

---

[93] Sur cette fin abrupte, cf. Introduction, p. 6.

EXTRAIT DU VOYAGE DE NAPLE,
DISCOURS PRONONCÉ À L'ACADÉMIE LE...

La relation de voyage de Rome à Naple donne, en chemin faisant, une idée du genre de voitures de cette route, et ses inconvéniens. Elle en décrit les lieux les plus remarquables, et ses antiquitez funéraires. Elle [le] fait surtout en détail de la partie curieuse d'un théâtre antique qui reste encore sur pied à Veletri; elle est d'autant plus singulière, que c'est celle par où les acteurs sortoient, et où ils récitoient leurs pièces sur une terrasse, et c'est dont il ne reste plus rien au théâtre de Marcellus à Rome, duquel on n'y voit plus que la partie cintrée oposée et contre la[quelle] étoient apuyez les bancs circulaires des spectateurs.

L'auteur remarque par cette ocasion le bizare et incommode usage où les acteurs, ainsi que les spectateurs, étoient exposez aux injures de l'air et des saisons, dont ils n'étoient foiblement garantis qu'à la faveur de quelques tentes de toiles tendues par des cordages.

Usage aussi extraordinaire que celuy de leurs masques hydeux qui est très certain, puisqu'on en a conservé encore une idée à Aix-en-Provence au sujet de l'ancienne procession instituée par le Roy Robert. Il cite ensuite les autres particularitez de cette petite ville, telle que le superbe palais *Gineti* rempli d'antiquitez et autres etc. Il parle ensuite des vestiges de l'ancienne via Appia si incommode aux voyageurs. Il rapporte les antiquitez de Terracine, entr'autres des ruines d'un beau temple de marbre blanc. Il fait ensuite mention de la célèbre inscription et tour funéraire de Plancus à Gayète, et du beau vase antique de la cathédrale etc. Et poursuivant les autres lieux qui conduisent à Naple, il n'y trouve dans les derniers que des tristes marques du tremblement de terre et la magnificence de

153

la campagne toute remplie d'orangers en pleine terre, tous chargez de fruits. La surprise à l'arrivée de l'auteur à Naples n'y est pas oubliée, luy ayant paru arriver après un grand ouragan qui en auroit enlevé tous les tois des maisons par l'effet que produisent ces tois en terrasses ou belvédèrs, tels que ceux que l'on voit en Orient et en Afrique. Les rues ordinaires de Naple sont fort longues et étroites, et leurs maisons étant hautes, et les pieres grises noircies par le tems présentent un coup d'œil fort mélancolique; et quoique la ville soit fort peuplée dans les quartiers des *Lazarini*, ou gens du peuple de la rue, les rues sont fort désertes, et l'on n'y voit [*sic*] très peu de femmes et les habitants y étant fort sauvages et intrigants [a] tels que les gens de palais et autres y sont habillez à l'espagnole. Il y a trois châteaux, et surtout celuy de l'Œuf qui est une espèce de Bastille construite près le port; mais le principal de la cité est bâti sur la montagne de St. Elmo, à côté de la Chartreuse. Le palais du Viceroy est magnifique et aparent, mais il n'a nulle des commoditez modernes si en usage à Paris; il y a cependant aparence que, depuis que la Cour de Dom Carlos est établie à Naple, que l'on y aura fait des augmentations et des changemens considérables et que les seigneurs y auront beaucoup de nouveaux palais.

On voit dans cette ville plusieurs salles ouvertes, celles où la noblesse s'assemble comme les marchands dans le Change; le principal est celuy proche St. Agnello qui a de l'aparence. On y voit auprès une belle statue grecque taillée en marbre: mais les autres antiquitez de ce genre qui sont dans le palais de Dom Diomède Carafa seroient infiniment plus prétieux s'ils n'étoient pas si mutilées dans un si grand désordre, ainsi que celles d'un autre palais en face de celuy du Duc *de la Tour Philomarini.* Il y a d'ailleurs la grandeur des sculptures modernes très estimables, entr'autres la petite statue équestre en bronze de Charle Quint et son basrelief.

Le palais de la Tour Philomarini contient entr'autres beaux tableaux les trois Maries au sépulcre d'*Anibal Carrache,* ouvrage digne d'admiration.

On voit en face du Port une magnifique fontaine de marbre

[a] Lecture incertaine.

blanc, formée en arc de triomphe et un colosse de Jupiter de même matière en partie antique.

La rue de *Tolède* est la principale de cette ville par sa prodigieuse longueur, et même par sa largeur, mais elle n'est point tirée au cordeau; c'est celle néanmoins qui sert de cours pour les mascarades et autres fonctions publiques. La seconde rue [qui] est celle de Mont Olivet est fort large, mais elle n'est pas si longue que [la] précédente.

La plupart des églises de cette ville sont d'une magnificence extraordinaire, mais leurs façades ne sont pas encore construites. Les marqueteries de marbre y sont prodiguées, ce qui icy est deffaut presque général; mais la fameuse chapelle dite du Trésor où l'on conserve le corps de St. Janvier mérite d'être exceptée de ce nombre: et outre son architecture de marbre mêlée de bronze, ses peintures du *Dominiquin* et du *Ribera* sont exquises ainsi que celles du *Lanfranc* dans la coupole. L'auteur n'a pas eu ocasion de voir la liquéfaction du sang de ce saint aproché de son chef qui est si renommée.

Quant à l'église Cathédrale dont cette superbe chapelle est dépendance, la crypte souteraine du sanctuaire est aussi très magnifique, mais rien n'y égale les fonts baptismaux placés sous un superbe baldaquin de marbre et dont la cuve de pierre de touche est antique comme celle de Gayète. On voit dans la place où répond une des portes de côté de cette église une somptueuse pyramide érigée à St. Janvier, mais qui est d'un mauvais dessein.

L'église de St. Paul des Barnabites est construite sur les débris du temple de Castor et Pollux qu'un afranchi de Tybère fit ériger avec beaucoup de dépence; on en voit encore quelques restes du portique par quelques collonnes corinthiennes encore sur pied, tout le reste ayant été renversé dans le dernier tremblement de terre. On y voit aussi de riches fragments du basrelief du timpan de son fronton et deux excellens tronçons de statues grecques de Castor et Pollux aussi de marbre blanc. Et quoique l'intérieur de cette église soit magnifique, rien n'égale la perfection des peintures de la sacristie exécutée à fresque par le fameux *Cicio Solimène* et qui sont son chef-d'oeuvre.

L'église de Jésus se ressentit beaucoup de ce tremblement dont

155

son magnifique Dôme fut renversé; il étoit peint à fresque par le cavalier *Lanfranc*, dont il reste encore dans les pendentifs les quatre évangélistes dans les pendentifs. Le riche portail est un vray collifichet quoiqu'en partie construit en marbre, ainsi que l'intérieur. Les Saints-Apôtres est une autre superbe église des Théatins où le bel autel du Cardinal Ascanio *Philomarini* efface tout ce que l'on y voit de plus aparent: mais surtout par le bon goût, c'est un des plus prétieux dessein du *Boromini*. On y voit aussi des peintures à fresque fort distinguées du *Lanfranc* et du *Solimène*.

Nouriture frugale des habitans et même de la noblesse, rareté du poisson de la mer de Naple, et mauvaise chère que l'on y fait.

L'église de St. Philipe de Néri des Pères de l'oratoire est anoncée par un magnifique portail de marbre blanc, son intérieur en collonnes est magnifique, orné d'ailleurs de peintures de plusieurs mains habiles.

On trouve dans l'église de St. Dominique le majeur un excellent tableau du *Titien* et un de *Raphaël*. On trouve encore une piramide magnifique dans la rue des Libraires, et ailleurs.

On voyoit dans la place de S.te Catherine de Sienne le volcan du Vésuve avant qu'il ait fini ses éruptions, parce que de là on découvre parfaitement ce Mont si renommé. Les églises des riches monastères de *Dona Regina* et de *Dona Alluina* sont remplis de peintures et de dorures, de marbres etc.

Mais aucune n'égale celle de la Chartreuse de St. Martin à côté du Château St. Elme qui est des plus somptueuses non seulement par ses incrustations de marbre, mais encore par son dessein et ses nombreuses peintures à huile des meilleurs maîtres, et celle à fresque du Lanfranc dans toute la voûte. Le monastère et surtout le cloître d'en bas est aussi tout orné de collonnes et autres embellissemens de marbre; on voit surtout de l'apartement du Prieur une vue des plus vastes et des plus variées de l'univers, puisqu'on la compare et qu'elle l'emporte même sur celle du Bosphore de Constantinople. Le trésor de la sacristie est des plus riches et la chapelle est aparente surtout par les peintures comme le Christ mort qui est peint à huile par le *Ribera*, dit l'Espagnolet, dont c'est le plus parfait chef-d'œuvre, étant d'ailleurs colorié presque dans le goût de Vandeik.

BIBLIOGRAPHIE

LISTE DES PRINCIPAUX OUVRAGES UTILISÉS ET CITÉS *

Cette liste n'a d'autre prétention que de fournir, outre les abréviations utilisées, un certain nombre de titres, ceux des livres ou articles que j'ai le plus souvent consultés; comme je l'ai dit ailleurs (cf. *supra*, p. 38, n. 88), il n'est pas possible de citer ici tous les ouvrages qui traitent ou qui parlent du Seicento ou du Settecento napolitain; j'ai rappelé dans cette même note l'intérêt qu'il y aura à se reporter aux bibliographies que fournissent la *Storia di Napoli* et les récents catalongues des grandes expositions, notamment *Civiltà* 1980 ** et *La peinture napolitaine...*, 1983 **. Le livre de E. Kaufman, *L'architettura dell'Illuminismo*, éd. Einaudi, 1966 (avec la mise à jour bibliographique de E. Castelnuovo) a évidemment été pour moi un instrument de travail irremplaçable, ainsi que la synthèse récente de A. Braham, *L'architecture des lumières, de Soufflot à Ledoux*, éd. Berger-Levrault, 1982.

Je rappelle aussi l'importance du numéro spécial *The Burlington Magazine*, avril 1979, consacré à l'art napolitain au XVIIIe siècle, CXXI, p. 207-265 avec des articles de fond sur Solimène, De Mura et Vaccaro et des mises à jour bibliographiques.

Par ailleurs la revue *Napoli Nobilissima*, avec ses trois séries successives, présente une mine de renseignements souvent difficiles à trouver ailleurs qui en font un instrument de travail d'une lecture à la fois passionnante et très utile.

---

* Le texte très intéressant du voyage à Naples (1577) de N. Audebert, qui constitue le tome II du *Voyage d'Italie* publié par A. Olivero est paru quand ce volume était en cours d'impression. Je remercie M. Colesanti de m'en avoir signalé aussitôt la publication. Il ne m'a malheureusement pas été possible de l'utiliser ici.

** Parmi les erreurs de détail (inévitables) à corriger, on rectifiera la confusion entre la *Description historique et critique de l'Italie* de l'Abbé Richard (Richard 1769) et le *Voyage Pittoresque* de Saint-Non (J. C. Richard de Saint-Non) (Richard [*sic*] 1781-1786), erreur qui se trouve dans ces deux excellents catalogues.

Notons enfin qu'on ne trouvera pas ici la liste systématique des anciens Guides de Naples ou des environs ni des voyageurs français décrivant Naples: c'est l'objet d'un autre travail.

Pour terminer, encore un mot d'explication sur la manière dont est présentée cette bibliographie: dans les catalogues des expositions, on le sait, les ouvrages sont présentés par ordre chronologique. J'ai préféré ici, suivant l'usage habituel à nos disciplines, l'ordre alphabétique: une bibliographie doit pouvoir être utilisée par tous ceux qui cherchent un auteur et peuvent ignorer la date exacte de telle ou telle de ses œuvres. Cela n'implique évidemment pas que je surestime les services que peut rendre une bibliographie aussi sommaire que celle qui est présentée ici.

R. AJELLO, *La civiltà napoletana del Settecento*, dans *Civiltà del Settecento a Napoli*, I, Naples, 1980, p. 13-21.

G. C. ALISIO, *Architettura napoletana del Settecento*, Bari, 1979.

G. C. ARGAN, *Il Revival*, ouvrage collectif publié sous la direction de G. C. Argan et coordonné par M. Fagiolo, Milan, 1974.

J. J. BARTHÉLEMY, *Voyage en Italie de M. l'Abbé Barthélemy de l'Académie française ... publié par A. Sérieys*, seconde édition augmentée d'une notice sur Madame de Choiseul, Paris, 1801.

G. P. BELLORI, *Le vite de' pittori, scultori ed architetti moderni con appendice: B. De Dominici, vita del cavalier Luca Giordano, Pittore Napoletano*, Roma, 1728.

A. BLUNT, *Philibert de l'Orme*, Londres, 1958.

IDEM, *Naples as seen by french Travellers 1630-1780*, dans *Essays in honour of Jean Seznec*, Oxford, 1974.

IDEM, *Neapolitan Baroque and Rococo Architecture*, Londres, 1975.

A. BLUNT, C. DE SETA, *Architettura e città barocca*, Naples, 1978.

F. BOLOGNA, *Francesco Solimena*, Naples, 1958 (abrégé Bologna).

IDEM, *Aggiunte a Francesco Solimena; la giovinezza e la formazione (1674-1684)*, dans *Nap. Nob.*, II, 1962, p. 1-12.

IDEM, *Il Caravaggio nella cultura e nella società del suo tempo*, dans *Atti del Colloquio su Caravaggio e Caravaggeschi*, Rome, 1974.

IDEM, *Solimena al Palazzo Reale di Napoli per le nozze di Carlo di Borbone*, dans *Prospettiva*, 1979, n. 16, p. 53-67.

IDEM, *La dimensione europea della cultura artistica napoletana*, dans *Arti e civiltà del Settecento a Napoli* (a cura di C. De Seta), 1982, p. 31-78.

J. J. BOUCHARD, *Journal*, éd. E. Kanceff, 2 vol., Turin, 1976. Le tome II contient le Voyage dans le Royaume de Naples (1632), p. 159-476.

A. BREJON DE LAVERGNÉE, B. DORIVAL, *La peinture italienne du XVIIe siècle*, Genève, 1979.

A. BREJON DE LAVERGNÉE, *La peinture napolitaine du XVIIIe siècle*, dans *Revue de l'Art*, 1981, 52, p. 63-76.

IDEM, *Rapports entre la peinture française et napolitaine au XVIIe siècle*, dans *La peinture napolitaine de Caravage à Giordano*, Paris, 1983, p. 71-86.

G. BRIGANTI, *Gaspar van Wittel e l'origine della veduta settecentesca*, Rome, 1966.

IDEM, *I vedutisti*, Rome, 1968.

BROSSES, CHARLES DE, *Lettres historiques et critiques sur l'Italie... avec des notes relatives à la situation actuelle de l'Italie et la liste raisonnée des tableaux et autres monuments...*, 1798. Nous avons utilisé et cité l'édition de Y. Bézard, Charles de Brosses, *Lettres familières sur l'Italie* publiées d'après les manuscrits, Paris, 1931. Une nouvelle édition critique par L. Cagiano de Azevedo et G. Cafasso est en cours de publication.

Charles de Brosses 1777-1977, Actes du colloque organisé à Dijon du 3 au 7 mai 1977, Textes recueillis par J. Cl. Garreta, Bibliothèque du Voyage en Italie, Genève, 1981.

A. BULIFON, *Journal du voyage d'Italie de l'invincible et glorieux Monarque Philippe V, Roi d'Espagne et de Naples* dans lequel on voit par un détail fidèle tout ce qu'a fait sa Majesté de plus particulier en Italie, depuis le 16 avril 1702 qui fut le jour qu'Elle arriva à Naples jusqu'au 16 novembre de la même année qu'Elle s'embarqua à Gênes..., Naples, 1704.

IDEM, *Giornali di Napoli dal MDXLVII al MDCCVI*, a cura di N. Cortese, I (le seul publié), Naples, 1932.

G. BURNET, *Some letters containing an account of what seemed most remarkable in Switzerland, Italy... written by G. Burnet*, Amsterdam, 1686, et Rotterdam, édition française, 1687.

R. CAUSA, *Il Caravaggio*, Milan, 1966.

IDEM, *I seguaci del Caravaggio a Napoli*, Milan, 1966.

IDEM, *L'arte nella Certosa di San Martino a Napoli*, Cava dei Tirreni, 1973.

CAYLUS, COMTE DE, *Voyage d'Italie 1714-1715*, première édition du code autographe annotée et précédée d'un essai sur le Comte de Caylus par Amilda A. Pons, Paris, 1914.

C. Celano, *Notizie del Bello, dell'Antico e del Curioso della città di Napoli*, Naples, 1672; cette édition fit l'objet d'un très important « aggiornamento » par G. B. Chiarini, qui ajouta toutes les transformations postérieures de la ville de Naples; d'où l'œuvre en cinq volumes publiée en 1856, puis 1870 sous le titre: C. Celano, *Notizie del Bello, dell'Antico, del Curioso della città di Napoli ... con aggiunzioni de' più notabili miglioramenti posteriori fino al presente, estratti dalla storia de' monumenti e dalle memorie di eruditi scrittori napolitani* per cura di G. B. Chiarini, Naples, 1870. Une réédition a été faite en 1970 (par A. Mozzillo, A. Profeta et P. Macchia); c'est, malgré des défauts certains, cette édition que nous avons citée, car elle comporte un index analytique très détaillé qui facilite beaucoup la lecture du volume.

P. Chaunu, *La civilisation de l'Europe des lumières*, Paris, 1971.

Civiltà del '700 a Napoli 1734-1799, 2 vol., 1980 (abrégé *Civiltà*). Catalogue de l'exposition organisée à Naples 1979-1980.

Ch. N. Cochin, *Voyage d'Italie ou Recueil de notes sur les ouvrages de peinture et de sculpture qu'on voit dans les principales villes d'Italie, suivi des Lettres à un jeune artiste peintre, pensionnaire à l'Académie de France à Rome ...*, Paris, 1758 (réimpression à Genève, 1972).

N. Cortese, *Cultura e politica a Napoli dal Cinquecento al Settecento*, Naples, 1965.

B. Croce, *Storia del Regno di Napoli*, Bari, 1925.

Idem, *Uomini e cose della vecchia Italia*, Bari, 1927.

A. Cuoco, *Ribera*, Milan, 1966.

M. De Dominici, *Vite dei pittori, scultori e architetti napoletani*, Naples, 1742-1745.

F. Deseine, *Nouveau voyage d'Italie contenant une description exacte de toutes ses provinces, villes et lieux considérables et des Isles qui en dépendent, avec les routes et chemins publics pour y parvenir, la distance des lieux et les choses remarquables que l'on y rencontre, l'origine et fondation des villes, les raretez qu'on y voit dans les églises, couvens, collèges, hôpitaux, palais publics et particuliers, cabinets, bibliothèques, trésors, le gouvernement politique des diférens états, les noms d'hommes illustres nez en chaque lieu et des familles principales qui y font leur séjour*, 2 vol., Lyon, 1699.

C. De Seta, *Cartografia della città di Napoli*, Naples, 1969.

IDEM, *Storia della città di Napoli dalle origini al Settecento*, Rome-Bari, 1973.

IDEM, *Napoli nel Settecento*, Naples, 1977.

IDEM, *Le città nella storia d'Italia. Napoli*, Bari, 1981.

IDEM, *Topografia territoriale e vedutismo a Napoli nel Settecento*, dans *Civiltà del Settecento*, II, 1981, p. 14-37.

IDEM, *Arti e civiltà del Settecento a Napoli*, Bari, 1982.

IDEM, *L'Italia nello specchio del Grand Tour*, dans *Storia d'Italia, Annali 5, Il paesaggio*, p. 124-263, Turin, 1982.

C. DE SETA, A. BLUNT, cf. BLUNT.

G. DORIA, *Il Museo e la Certosa di San Martino*, Naples, 1964.

J. EHRARD, *Montesquieu critique d'art*, Paris, 1965.

M. FAGIOLO DELL'ARCO, *Le « Opere di Misericordia »: contributo alla poetica del Caravaggio*, dans *L'Arte*, 1968, II, p. 37-61.

IDEM, *Barocco e Rococò*, Vérone, 1978.

O. FERRARI, G. SCAVIZZI, *Luca Giordano*, Naples, 1966.

O. FERRARI, *Le Arti figurative*, dans *Storia di Napoli*, VI, 2 p. 1221-1363.

IDEM, *Considerazioni sulle vicende artistiche a Napoli durante il viceregno austriaco (1707-1734)*, dans *Storia dell'arte*, 1979, n. 35, p. 11-27.

T. FITTIPALDI, *La scultura napoletana del Settecento*, Naples, 1981.

I. FUIDORO, *Giornali di Napoli del 1660 al 1680*, 4 vol., a cura di A. PADULA, Naples, 1934-1943.

G. M. GALANTI, *Breve descrizione della città di Napoli e del suo contorno*, Naples, 1792.

G. GALASSO, *Napoli nel viceregno spagnolo dal 1648 al 1696*, dans *Storia di Napoli*, VI, I, 1970, p. 3-400.

G. GALASSO, cf. G. LABROT.

G. GIARRIZZO, *Edward Gibbon e la cultura europea del Settecento*, Naples, 1954.

E. GIBBON, *Viaggio in Italia*, a cura di G. A. BONNARD, Milan, 1965.

GOETHE, *Italienische Reise*, a cura di H. VON TINEM, deuxième édition, Münich, 1980; nous avons utilisé l'édition française un peu plus ancienne, *Voyage d'Italie*, publié à Paris chez Aubier, 1961, 2 vol.

M. GREGORI, *Caravage à Naples*, dans *La peinture napolitaine de Caravage à Giordano*, 1983, p. 45-53.

P. GRIMAL, *À la recherche de l'Italie antique*, Paris, 1961.

IDEM, *L'Italie retrouvée*, Paris, 1979.

H. HARDER, *Le Président de Brosses et le voyage en Italie au XVIIIe siècle*, Genève, 1981.

F. HASKELL, *Patrons and Painters, A Study on the Relations between Italian Art and Society in the Age of the Baroque*, Londres, 1963.

F. HASKELL, N. PENNY, *Taste and the Antique, the Lure of Classical sculpture*, Londres, 1981.

L. HAUTECŒUR, *Rome et la renaissance de l'antiquité . . .*, Paris, 1912.

IDEM, *Histoire de l'architecture classique en France*, t. II, *Le règne de Louis XIV*, 2 vol., 1948; t. III, *Première moitié du XVIIIe siècle, Le style Louis XV*, 1950; t. IV, *Deuxième moitié du XVIIIe siècle, Le style Louis XVI (1750-1792)*, 1952.

P. HAZARD, *La crise de la conscience européenne (1680-1715)*, Paris, 1935.

HUGUETAN, *Voyage d'Italie curieux et nouveau, enrichi de deux listes, l'une de tous les curieux et de toutes les principales curiosités de Rome, et l'autre de la pluspart des sçavans et curieux et ouvriers excellens de toute l'Italie à présent vivans*, Lyon, 1681.

G. LABROT, *Baroni in città. Residenze e comportamenti dell'aristocrazia napoletana (1530-1734)*, préface de G. Galasso, Naples, 1979.

J. J. LALANDE, *Voyage d'un François en Italie fait dans les années 1765 et 1766. Contenant l'histoire et les anecdotes les plus singulières de L'Italie et sa description; les mœurs, les usages, le gouvernement, le commerce, la littérature, les arts, l'histoire naturelle et les antiquités; avec des jugemens sur les ouvrages de Peinture, Sculpture et Architecture et les plans de toutes les grandes villes d'Italie*, 8 vol., Paris, 1769. L'édition que nous avons utilisée et citée est la « nouvelle édition corrigée et considérablement augmentée » publiée à Yverdon, également en 8 vol. et toujours en 1769.

La peinture napolitaine de Caravage à Giordano, Paris, 1983 (abrégé *La peinture napolitaine . . .*); catalogue de l'exposition, Paris, 1983.

J. MABILLON, M. GERMAIN, *Museum Italicum seu collectio veterum scriptorum ex bibliothecis italicis*, 2 vol., Paris, 1724.

R. LONGHI, *Caravaggio*, Erfurt, 1968 (republié par les soins de G. Previtali, Rome, 1982).

F. MANCINI, *Scenografia napoletana nell'età barocca*, Naples, 1964.

IDEM, *Feste, apparati e spettacoli teatrali*, dans *Storia di Napoli*, VI, II, 1970, pp. 1155-1220.

R. MICHÉA, *Le Voyage en Italie de Goethe*, Paris, 1945.

PH. MINGUET, *Esthétique du rococo*, Paris, 1966.

M. Misson, *Nouveau voyage d'Italie, fait en l'année 1688. Avec un mémoire contenant des avis utiles à ceux qui voudront faire le mesme voyage*, 2 vol., La Haye, 1691. L'ouvrage a fait l'objet de nombreuses rééditions (1694, 1698, 1702, 1722) qui, chaque fois, comportaient des corrections et des « aggiornamenti » (la 3ᵉ édition avait 3 vol. et la 4ᵉ 4 vol.). Nous avons utilisé et cité une autre édition intitulée *Voyage d'Italie* par Maximilien Misson, édition augmentée de Remarques nouvelles et intéressantes, 4 vol., Amsterdam, 1743.

A. Momigliano, *Ancient History and the antiquarian*, dans *Journal of the Warburg and Courtauld Institutes*, XII, 1950, p. 285 sq., repris avec quelques adjonctions dans *Contributo alla storia degli studi classici*, Rome, 1955, p. 67 sq.

B. de Monconys, *Journal des voyages de Monsieur de Monconys ... Où les sçavants trouveront un nombre infini de nouveautez, en machines de mathématique, expériences physiques, raisonnemens de la belle philosophie, curiositez de chymie et conversations des illustres de ce siècle; outre la description de divers animaux et plantes rares, plusieurs secrets inconnus pour le plaisir et la santé, les ouvrages des peintres fameux, les coutumes et mœurs des nations et ce qu'il y a de plus digne de la connoissance d'un honeste homme dans les trois parties du monde. Enrichi de quantité de figures en taille-douce des lieux et des choses principales, avec des Indices très exactes et très commodes pour l'usage. Publié par le Sieur de Liergues, son fils*, 3 vol., Lyon, 1665-1666.

Montesquieu, *Voyages de Montesquieu, publiés par le Baron A. de Montesquieu*, 2 vol., Bordeaux, 1894-1896. Nous avons utilisé et cité l'édition de la Pléiade, *Œuvres complètes*, 1949, où le Voyage de Naples se trouve de la p. 717 à la p. 734. Signalons aussi la bonne édition *Viaggio in Italia*, préface de G. Macchia, trad. de M. Colesanti, Bari, 1971.

B. de Montfaucon, *Diarium italicum, sive monumentorum veterum, bibliothecarum, musaeorum notitiae singulares in itinerario italico collectae*, Paris, 1702.

O. Morisani, édition de O. Giannone, *Giunte alle Vite de' Pittori, Scultori ed Architetti Napoletani di B. De Dominici*, Naples, 1941.

A. Mozzillo, *Viaggiatori stranieri nel Sud*, Milan, 1964.

A. Ottani Cavina, *Il Settecento e l'antico*, dans *Storia dell'arte italiana*, II, *Settecento e Ottocento*, Turin, 1982, p. 599-660.

R. Pane, *Architettura dell'età barocca in Napoli*, Naples, 1939.

Idem, *Ferdinando Fuga*, Naples, 1956.

A. Parrino, *Nuova guida de' Forestieri*, 1712.

M. Picone Causa, *Per la conoscenza del Pittore Giacomo del Po*, dans *Bollettino d'Arte*, 1957, p. 163-172; p. 309-316.

Piranesi, *Incisioni, Rami, Legature, Architetture*, fondazione Cini, a cura di A. Bettanio, Venise, 1978.

Piranèse et les Français, 1740-1790, Catalogue de l'exposition Rome-Dijon-Paris 1976, Rome, 1976.

Piranèse et les Français, Actes du Colloque tenu à la Villa Médicis 1976, Études réunies par G. Brunel, Rome, 1978.

M. F. Pérez, *L'Art vu par les Académiciens lyonnais au XVIIe siècle, Catalogue des communications et mémoires présentés à l'Académie de Lyon, 1736-1792*, dans *Mémoires de l'Académie des Sciences, Belles-Lettres et Arts de Lyon*, XXXI, 1977, p. 71-128 (cité Pérez 1977).

Idem, *Un discours inédit de Ferdinand Delamonce (1751)*, dans *Mélanges Couton*, Lyon, 1981 (cité Pérez, 1981).

M. Praz, *Gusto neoclassico*, 3e éd. augmentée et mise à jour, Milan, 1974.

G. Previtali, *La fortuna dei primitivi dal Vasari ai neoclassici*, Turin, 1964 (particulièrement important pour notre sujet l'appendice I, *I primitivi nel giudizio dei viaggiatori stranieri del Settecento*, p. 201-217).

J. Richard, *Description historique et critique de l'Italie ou nouveaux mémoires sur l'état actuel de son gouvernement, des sciences, des arts, du commerce, de la population et de l'histoire naturelle*, 6 vol., Dijon-Paris, 1766 (nouvelle édition, celle que nous avons utilisée, Paris, 1770).

J. A. Rigaud, *Bref recueil des choses rares, notables, antiques, citez forteresses principales d'Italie. Avec une infinité de particularitez dignes d'estre sçues, tout ... recueilly par J. A. Rigaud en son voyage de l'an Sainct 1600*, Aix, 1601.

D. Roche, *Le Siècle des Lumières en province (Académies et académiciens provinciaux:) 1680-1789*, 1978.

Rogissart, *Les délices de l'Italie, contenant une description exacte du païs, des principales villes, de toutes les Antiquitez et de toutes les raretez qui s'y trouvent. Ouvrage enrichi d'un très grand nombre de figures en taille-douce*, 4 vol., Paris, 1707.

R. Ruotolo, *Aspetti del collezionismo napoletano: il Cardinale Filomarino*, dans *Antologia di Belle Arti*, I, 1977, p. 71-82.

166

IDEM, *Brevi note sul collezionismo aristocratico napoletano tra Sei e Settecento*, dans *Storia dell'Arte*, 1979, n. 35, p. 29-38.

SADE, *Voyage d'Italie, précédé des premières œuvres, suivi des Opuscules sur le théâtre, publiés pour la première fois sur les manuscrits autographes inédits par G. Lély et G. Daumas*, Paris, 1967; on consultera également l'édition italienne *Viaggio in Italia*, Rome, 1974.

SAINT-NON R. DE, *Voyage Pittoresque ou description des Royaumes de Naples et de Sicile*, 5 vol., Paris, 1781-1786.

P. SARNELLI, *Guida de' forestieri, curiosi di vedere e di intendere le cose più notabili della regal città di Napoli e del suo amenissimo distretto*, Naples, 1685 (une nouvelle édition a été publiée en 1697 par A. Bulifon).

IDEM, *Le guide des étrangers curieux de voir et de connaître Pouzzol, Bayes, Cumes, Misène etc., traduit en françois avec le texte italien en regard par Bulifon*, Naples, 1699.

IDEM, *Storia di Pozzuoli, Baja, Cuma, Miseno, Gaeta, Ischia, Nisita ...*, 4ᵉ éd., Naples, 1770 (c'est celle que nous citons pour Gaète).

L. SCHUDT, *Italienreisen im 17 und 18 Jahrhundert*, Vienne-Munich, 1959.

SEIGNELAY, MARQUIS DE, *L'Italie en 1671. Relation d'un voyage du Marquis de Seignelay suivie de lettres inédites ... et précédée d'une étude historique par P. Clément*, Paris, 1867.

N. SPINOSA, *More impublished works by Francesco Solimena*, dans *The Burlington Magazine*, 1979, p. 211-220.

IDEM, *Pittura sacra a Napoli nel '700* dans *Civiltà*, Naples, 1980.

IDEM, *Pittura napoletana e rapporti tra Napoli e Madrid nel Settecento*, dans C. DE SETA, *Arti e civiltà del Settecento a Napoli*, Bari, 1982, p. 197-234.

IDEM, *Baroque et classicisme à Naples dans la seconde moitié du XVIIIᵉ siècle*, dans *La peinture napolitaine de Caravage à Giordano*, Paris, 1983, p. 54-65.

P. SPON, G. WHELER, *Voyage d'Italie, de Dalmatie, de Grèce et du Levant fait aux années 1675-1676*, 2 vol., Lyon, 1678.

F. STRAZZULLO, *Edilizia e urbanistica a Napoli dal '500 al '700*, Naples, 1968.

G. A. SUMMONTE, *Historia della città e regno di Napoli, ove si trattano le cose più notabili accadute dalla sua edificazione fin a' tempi nostri*, 6 vol., Naples, 1575, 3ᵉ éd., Naples, 1748-1750.

J. THUILLIER, *Charles Mellin « très excellent peintre »*, dans *Les fondations nationales dans la Rome pontificale*, Rome, 1981, p. 583-621.

F. VENTURI, *Settecento riformatore da Muratori a Beccaria*, Turin, 1969.

IDEM, *L'Italia fuori d'Italia*, dans *Storia d'Italia*, Einaudi, III, Turin, 1973.

C. WHITFIELD, *Naples au XVIIe siècle*, dans *La Peinture napolitaine de Caravage à Giordano*, Paris, 1983, p. 38-44.

J. J. WINCKELMANN, *Lettres familières*, 2 vol., Paris, 1781.

IDEM, *Remarques sur l'architecture des anciens*, Paris, 1783.

IDEM, *Histoire de l'art dans l'antiquité*, 3 vol., Paris, 1784.

R. WITTKOWER, *Art and Architecture in Italy (1600-1750)*, Londres, 1958 (éd. italienne, Turin, 1972).

LEGENDE DES FIGURES

Couverture: Le Palais des Études (de Rogissart, II, fol. 541).

1. Fac-similé du manuscrit de F. Delamonce, *Voyage de Naple*, fol. 202.
2. Le théâtre de la passion à Velletri (de A. Gabrielli, *Il Teatro della Passione in Velletri*, 1910).
3. Vase de marbre blanc signé Salpion (de Misson, II, p. 83).
4. Le Mausolée de Munatius Plancus (de Misson, II, p. 81).
5. Plan de Naples (de D. A. Parrino, 1691).
6. Hommes de loi portant la toge et la golille (détail d'un tableau de A. Luciani, *Il tribunale della Vicaria*, Musée de San Martino, Naples).
7. La place du Palais royal au XVIIIe siècle (détail d'une vue topographique de Naples par A. Baratta). On notera au premier plan la fontaine aux trois arcades et la statue du Géant; au fond, la via Toledo.
8. Cour du Palais Carafa avec la célèbre tête de cheval (de Rogissart, II, fol. 543.2).
9. La fontaine aux trois arcades (gravure de la Collection Pagliara, Naples).
10. Le Gesù Nuovo: les deux chapelles de Saint-Ignace et Saint-François-Xavier (de Rogissart, II, fol. 491).
11. Les fonts baptismaux de la cathédrale (de Rogissart, II, fol. 464).
12. La façade du temple de Castor et Pollux et de l'église de San Paolo Maggiore, d'après G. A. Summonte, *Historia del Regno di Napoli*, première moitié du XVIe siècle.
13. La chapelle de Saint-Janvier dans la cathédrale (de Rogissart, II, fol. 467).
14. L'église des Saints-Apôtres: la chapelle Filomarino (de Rogissart, II, fol. 489).
15. L'église des Saints-Apôtres: le tabernacle du maître autel (de Rogissart, II, fol. 488).
16. L'église de Saint-Philippe de Néri: la façade (de Rogissart, II, fol. 484).
17. L'église de Saint-Jean in Carbonara: le tombeau du roi Ladislas (de Rogissart, II, fol. 486).
18. La « Guglia élevée à l'honneur de S^t. Pie pape » (de Rogissart, II, fol. 252). On notera les transformations qu'a subies la « guglia »; entre autres le statue de saint Pie V a été remplacée par celle de saint Dominique.
19. L'église de Saint-Jean le Majeur: l'inscription de Parthénope (de *Storia di Napoli*, I, p. 493).
20. Le « Torrione del Carmine » (de Rogissart, II, fol. 507).

169

INDEX

On trouvera réunis dans une seule liste les noms de lieux et de personnes cités dans le texte, dans les notes et dans l'introduction. Y figurent également les principaux thèmes évoqués par Delamonce. En revanche, nous n'y indiquons pas les noms des auteurs qui ne sont cités que dans la bibliographie.

Les noms des monuments, rues etc. de Naples apparaissent, classés par ordre alphabétique, sous la rubrique Naples. Par souci d'uniformité, ils sont, en principe, cités sous leur nom italien actuel. En revanche, les autres noms propres italiens sont cités sous leur forme française, quand elle existe.

TABLE DES MATIERES

FINITO DI STAMPARE NEL LUGLIO DEL MCMLXXXIV
NELLO STABILIMENTO « ARTE TIPOGRAFICA » DI A. R.
VIA S. BIAGIO DEI LIBRAI - NAPOLI